再生可能
エネルギーと
環境問題

ためされる地域の力

Renewable Energy for Sustainable Communities

傘木 宏夫 著

自治体研究社

はじめに

「脱炭素」「脱原発依存」といった社会的要請を背景に、再生可能エネルギーの普及に対する期待が高まり、FIT（固定価格買取制度）の制定後、日本国内でも各地で開発が急速に進んでいます。

持続可能な社会を構築していく上で、再生可能エネルギーを開発していくことは最重要課題のひとつであることは、国連のSDGs（持続可能な開発目標）を持ち出すまでもありません。

しかし、再生可能エネルギーの開発により、山間地の森林が伐採されたり、景観が破壊されたりと、さまざまな問題も生じています。そして、問題の多くは地域社会で噴出しています。その理由は、大きく2つあります。

ひとつは、再生可能エネルギーが、太陽光や風力、水力、地熱、バイオマスといった自然界に存在する資源を消費するものであることに由来しています。これを短期間かつ大量に消費することは、必ず環境破壊をもたらします。そして、自然界の資源とは地域固有のものであるため、それを共有し、管理している地域社会とのあつれきが生じます。

もうひとつは、植民地的な開発のあり方に由来しています。現在の電力供給システムを前提にした場合、電気系統に電力を入れた瞬間に中央（電力の大量消費地）に吸収されます。そして、FITという補助金制度によって中央の資本家が儲ける仕組みとなっています。

再生可能エネルギーの開発が、自然環境との調和を図りつつ、地域社会の利益につながるように進められるためには、地域の側に主体的な力が育つ必要があるとの思いから、本書の副題に「地域の力」を加えました。

本書は、長野県大町市を拠点に活動する市民団体「NPO地域づくり工房」による自然エネルギーを活用した地域おこしの活動や、事業者との協働による自主簡易アセスメントなどの実践を土台としながら、各地の事例や論文なども参考にしてまとめました。なお、参考とした書籍や論文などは、参考資料一覧とともに、文中にも紹介しています。

主な読者層を以下のように考え、なるべく平易な文章となるように心がけました。

・再生可能エネルギーについて学ぼうとされている学生、社会人
・再生可能エネルギーをめぐる問題の解決を模索されている事業者や住民運動の関係者
・自立分散型再生可能エネルギーの政策のあり方に関心のある地方自治体などの関係者

わかりにくいことや説明不足、事実の誤認などがありましたら、ぜひご指摘をお願いいたします。本書がより深い学びや実践への入口となれば幸いです。

目　　次

コラム

装丁　柴田舞美（アルファ・デザイン）

第1部
再生可能エネルギーの基礎知識

「小規模な事業は、いくら数が多くても、一つ一つの力が自然の回復力と比較して小さいから、大規模な事業と比べて自然環境に害を与えないのがつねである。」

シューマッハー『スモール　イズ　ビューティフル』（講談社学術文庫 46 頁）

第1章　再生可能エネルギーとは

再生可能エネルギーに関する情報はインターネット上に溢れるほどあります。ここでは、なるべく簡潔に、かつ環境対策や地域づくりとの関連でおさえておきたいことを紹介します。

1. 定義

再生可能エネルギー（Renewable Energy）とは、太陽光や風力、水力、地熱などの自然界に常に存在するエネルギーのことです。そのため「自然エネルギー」もほぼ同じ意味で使われています。

これに対して、埋蔵量に限りのある石油、石炭、天然ガスなどの化石燃料、ウランを使用する原子力などのエネルギーは枯渇性エネルギー（Exhaustible Energy）と言われます。

法律の上では、再生可能エネルギーについて、エネルギー供給構造高度化

表1－1　エネルギー供給構造高度化法による規定

定　義	非化石エネルギー源のうち、エネルギー源として永続的に利用できると認められるもの	法第2条第3項
種　類	(1) 太陽光 (2) 風力 (3) 水力 (4) 地熱 (5) 太陽熱 (6) 大気中の熱その他の自然界に存在する熱 (7) バイオマス（動植物に由来する有機物）	施行令第4条
利用形態	電気、熱、燃料製品	法第2条第3項

筆者作成

法（エネルギー供給事業者による非化石エネルギー源の利用および化石エネルギー原料の有効な利用の促進に関する法律、2009年8月施行）において、表1－1のように規定しています。

2. なぜ再生可能エネルギーか

いまや当たり前のように言われるようになった再生可能エネルギーの普及ですが、社会全体としてこれに力を入れることの意義をあらためて整理しておきます。

(1) 環境

①地球温暖化防止

地球上の大気の平均的な状態（気候）が変動する要因には、火山噴火などの自然現象もありますが、人間活動に伴う人為的な影響もあります。とりわけ、産業革命（18世紀後半）以降は大量の石油や石炭などの化石燃料の消費で、二酸化炭素（CO_2）などの温室効果ガスが増加して、地球温暖化を引き起こしています（図1－1）。

また、木材の大量消費や焼き畑農業などによる森林破壊は、水の循環や地球表面の日射の反射量に影響を与える他、CO_2を吸収する能力を減少させて地球温暖化を加速させます。

地球温暖化に伴う気候変動がもたらす問題をあえて列記はしませんが、これまでは想像もできなかった異常気象や生態系の変化などにより、問題の深刻さを感じている人は少なくないはずです。

CO_2の排出量が最も多いのはエネルギー部門で、全体の4割を占めています（図1－2）。火力発電による石油や石炭、天然ガスなどの化石燃料の燃焼によるものです。化石燃料

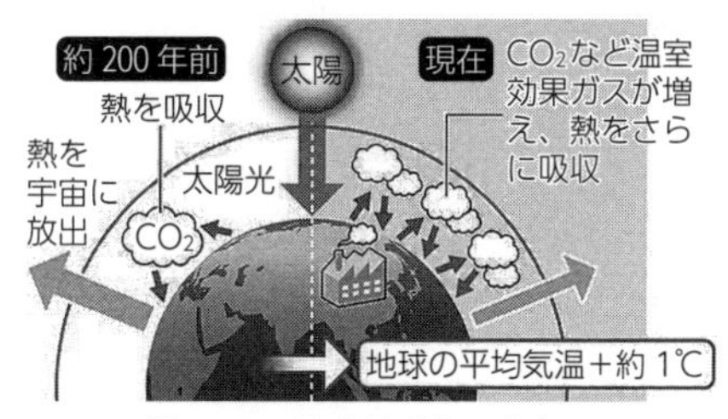

図1－1　地球温暖化の仕組み
出所：東京新聞 TOKYO Web 2020年6月10日付

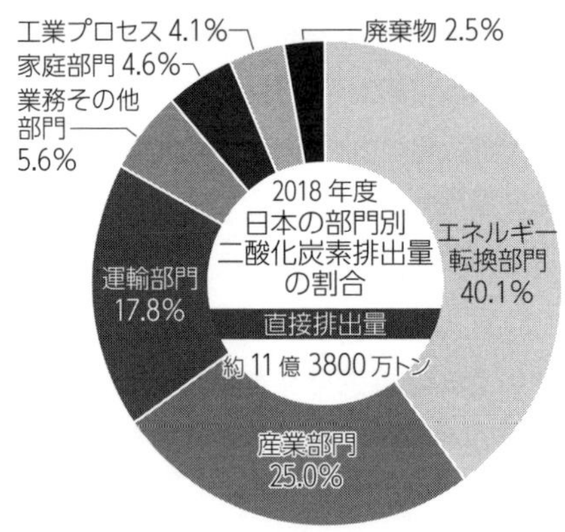

図１－２　日本の部門別二酸化炭素排出量の割合（2018 年度、直接排出量）

出所：全国地球温暖化防止活動推進センター ホームページより

注：「直接排出量」は、発電に伴う CO_2 排出を、直接排出しているエルギー転換部門の排出として計算したもの。一方、「間接排出量」は、その電力を使う者（企業や家庭など）に、電力消費量に応じて CO_2 排出量を割り当てて計算したもの。

エネルギーから脱却し、CO_2 を排出しない再生可能エネルギーに転換していくことが、国際的にも急務となっています。

最近、電気自動車（EV 車）やリニアモーター新幹線などが注目されています。しかし、そのエネルギーの生産において化石燃料が使われたのでは、温暖化防止の効果は乏しいものになります。

②生活環境の保全

化石燃料の消費は、CO_2 の排出だけではなく、さまざまな大気汚染物質を排出して、人間の健康や動植物の生息に悪い影響を与えます。

代表的なものには、煤塵や二酸化硫黄（SO_2）、二酸化窒素（NO_2）、浮遊粒子状物質（SPM、特に微細なものを $PM_{2.5}$ という）、これらを原因物質として発生する光学オキシダントなどがあります。人への影響では、石油化学コンビナートが立地する地域で大気汚染公害が発生し、「四日市ぜんそく」など深刻な健康被害をもたらしました。

図１－３　大気汚染の原因

出所：豊前市ホームページより

公害被害者の必死のたたかいにより公害対策が進み、大気汚染は大きく改善されました。しかし、目に見えにくい形で、大量の化学物質が大気中に放出され続け、人びとが健康に暮らす権利を脅かしています（図１－3)。

(2) エネルギー

①原子力依存からの脱却

原子力発電は、火力発電同様に地下資源を利用するものですが、使用する燃料の量は火力発電と比べてとても少ないことが特徴です（図1－4）。また、化石燃料（石炭・石油・天然ガス）ではないため、CO_2 排出量もきわめて少なく、「クリーンなエネルギー」と言われてきました。

しかし、2011年3月の東日本大震災における東京電力福島第一原発事故やチェルノブイリ原発事故（1986年4月）などが示すように、ひとたび重大な事故が発生すると、甚大かつ長期にわたる被害を人々の生活や健康に与えてしまいます。

原子力技術は、人類による科学技術の進歩がもたらした賜物ではありますが、社会はいまだに制御できる段階にはありません。

日本政府は第5次エネルギー基本計画（2018年7月）に基づいて、2030年度における電力構成において原子力発電は20～22%の割合で確保する方針を掲げています。その理由として「低炭素社会」の実現があげられています。しかし、「低炭素社会」という目的のために、原発災害という大きな不安を将来も負い続けていくことについては、国民的な合意が得にくいのではないでしょうか。

原子力や火力に依存するのではなく、「低炭素社会」の実現を図るためには、再生可能エネルギーを飛躍的に普及させていく必要があります。

今、政府による「2050年カーボンニュートラル」（温室効果ガスの排出量を実質ゼロにすること）の目標に呼応して、産業界でも新たな燃料へ

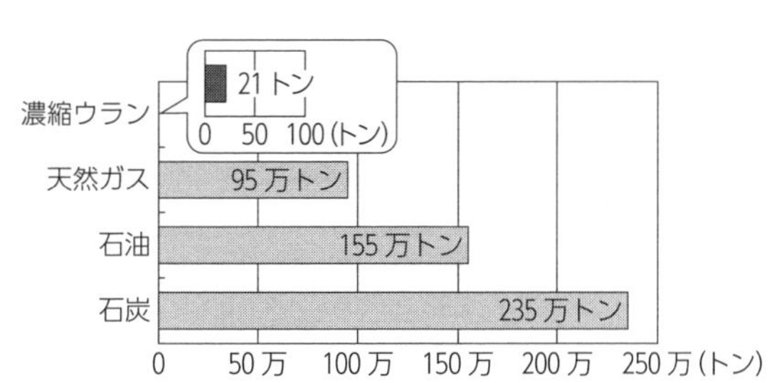

図1－4　100万kWの発電所を1年間運転するために必要な燃料の比較

出所：(一財)日本原子力文化財団「原子力・エネルギー図面集」より

の転換が模索されています。CO_2 排出量では産業部門の約４割を占める鉄鋼業界において、日本鉄鋼連盟が製鉄工程での実質ゼロの目標年度を 2100 年から 2050 年に前倒しすることを発表しています（2021 年２月 15 日）。

その切り札とされるのが、「水素製鉄法」という新技術です。製鉄工程では、石炭を原料としたコークスで鉄鉱石を還元して鉄を作るため、多くの CO_2 を排出します。「還元」は、鉄鉱石（Fe_2O_3）から酸素（O）を取り除くことで、鉄鉱石が酸化することを防ぎ、強い鉄を作ることができます。酸素を取り除く還元剤として使われるコークスの炭素（C）と結びつくことで CO_2 が生成されます。新しい技術は、石炭を蒸し焼きにしてコークスにする際に発生するガスに含まれるメタン（CH_4）から水素（H）を取り出して、コークスの役割の一部を代替させるものです。

旧：鉄鋼石（Fe_2O_3）→酸素（O）＋炭素（C）＝二酸化炭素（CO_2）

新：鉄鋼石（Fe_2O_3）→酸素（O）＋水素（HH）＝水（H_2O）

しかし、大量の水素や反応に必要な熱をどのように CO_2 フリーで確保するのかなどの課題があります。

脱炭素社会の構築には産業界の努力が圧倒的に必要です。再生可能エネルギーを含め、総合的な取組みが求められています。

②エネルギーの自給自足

日本の生産活動や消費生活を支えている電力は、そのほとんどを化石燃料による火力発電に依存しており、それらはすべて国外からの輸入に頼っています。日本のエネルギー自給率は、主要国の中で最低レベルにあります。福島第一原発事故以降は火力発電依存が高まり、さらに低くなっています（図１－５）。

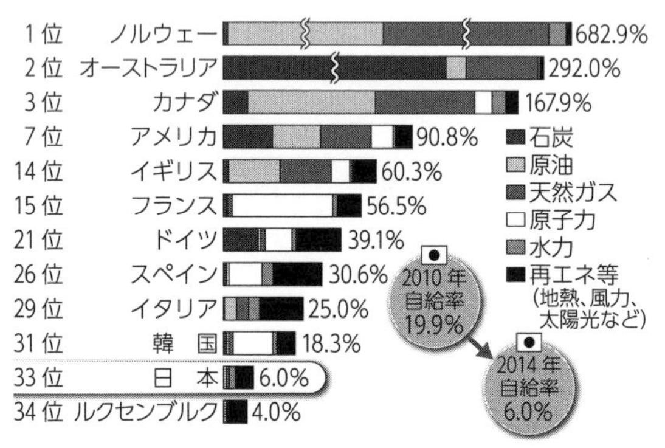

図１－５　主要国の一次エネルギー自給率比率

出所：資源エネルギー庁ホームページより

しかし、産油国は巨大な利権を背景に政情は不安定で、極端な価格変動を引き起こすこともあり、そのたびに日本国内では「オイルショック」などの混乱が生じています。また、世界人口の増加や新興国の発展により、世界中でエネルギーの需要が増えることが予想されます。日本が必要な量を確保できるのか、価格はどうなるのかといった不安材料は尽きません。

さらに、石油や石炭などを枯渇性エネルギーというように、採掘可能な埋蔵量に対する不安も指摘されています（オイルピーク論)。

現在は経済力により国外から燃料を調達していますが、その基盤は不安定なものと言わざるを得ません。国内の資源によりエネルギーを調達できる構造への転換が求められています。

(3) 経済

①大量生産・大量消費の見直し

国は、2050年カーボンニュートラルの目標の下、2030年を目標に「ガソリン車販売禁止」を打ち出し、電気自動車（EV：electric vehicle）の普及を急ぐ計画です。また、リニア新幹線も2027年開業を目標に建設が進められています。これらに必要な電力はどのように確保するのでしょうか。

電力の大量消費を、火力発電で支えないとすると、どうしても原子力発電の再稼働を進めざるをえません。そうした事情が、第５次エネルギー基本計画の電力構成に反映されています。

日本人の暮らしは電化によりたいへん便利になりました。日本の電力消費量はこの半世紀で約６倍に膨れ上がりました（図１−6)。あらゆるものがコンセントから電線を伝わって発電所につながっています。この大量消費を、2050年までにすべて再生可能エネルギーで賄わせようとすると、環境保全とのバランスで深刻な問題を引き起こす可能性があります。

むしろ、再生可能エネルギーにより得られる電力の範囲内に消費生活を抑制していくことが必要なのではないでしょうか。再生可能エネルギーの普及は、大量生産・大量消費を代替させるためではなく、日本の経済構造や人びとの生活様式を変えていく努力とともにあるべきです。そうした気づきと努

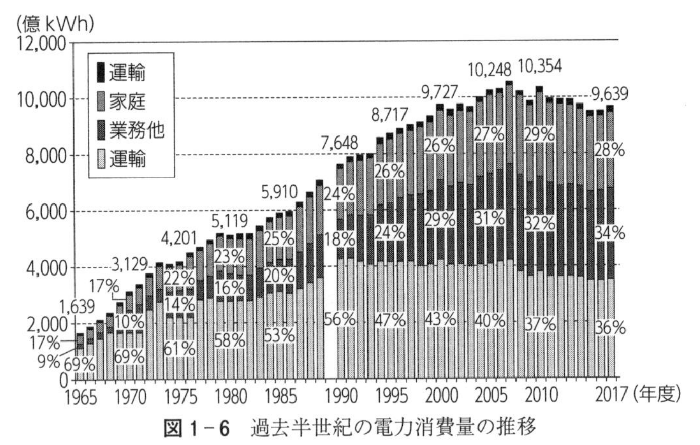

図1－6　過去半世紀の電力消費量の推移

出所：資源エネルギー庁ホームページより

力を引き出す運動として再生可能エネルギーの普及を位置付けたいものです。

②地域経済の活性化

再生可能エネルギーの生産には、原動力となる資源が生産拠点の近くで豊富にとれることが求められます。木材を利用したバイオマス、太陽光を浴びるために広い面積を確保できる安い土地、水力発電のための豊富な水量と落差が得られる川など、農山村地域には豊富な資源があります。

このことを生かして、普及が求められている再生可能エネルギーを生産し、流通させることができるのであれば、地域経済の活性化につなげることができるはずです。

近年では、日本の地方、とりわけ農山漁村地域やその中心地であった小規模都市で、人口減少と高齢化、それに伴う自治体の財政難など、地域社会の疲弊にあえいでいます。再生可能エネルギーの飛躍的な普及が求められている状況は、地域経済活性化への好機として捉えられています。

同様のスローガンは、戦後の電源開発（ダムや原発の開発）でもうたわれていました。たしかに、開発工事や維持管理に伴う雇用、ダムの観光利用、電源立地地域対策交付金（公共施設整備や住民福祉向上のための事業に対して電気料金の一部を財源として立地市町村に配分される交付金）などにより、少なからず地域社会に恩恵がもたらされてきました。しかし、それらは一時

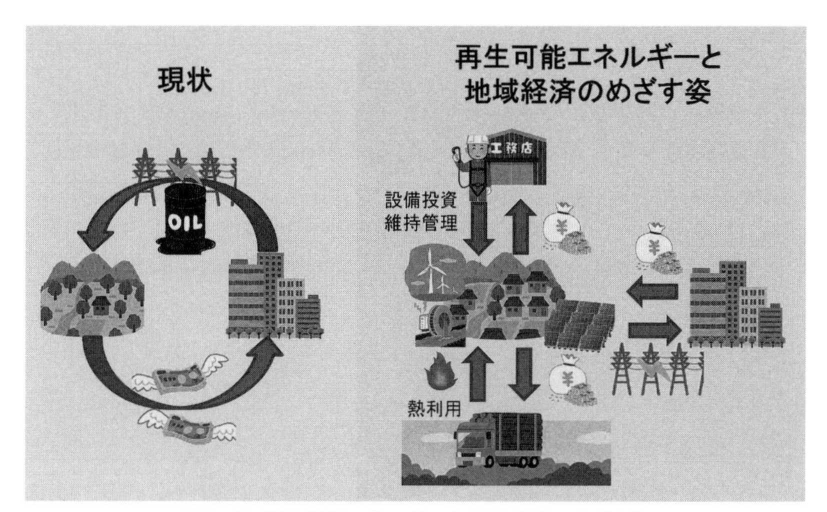

図1－7　再生可能エネルギーと地域経済のめざす姿
出所：自然エネルギー財団「地域エネルギー政策に関する提言」などを参考に筆者作成

的な効果にとどまりました。外発型（地域の外からの）開発に依存する体質をもたらしたという見方もあります。福島第一原発事故では、住むところが奪われるといった被害までもたらしました。こうした状況の根源には、中央の資本が、地方の資源を電気に変えて、送電線網を通じて中央にすべて吸収し、その利益を独占している構造があります。

今日の再生可能エネルギーをめぐっても同じような問題が指摘されています。FIT に商機をみて、多様な業種・業態の企業が、土地の安い地方に進出して発電所を開発し、中央に電気を送り込んでいます。開発の利益が地元に還元されないことに対する不満が出されています。

再生可能エネルギーは、「地産地消」により地域内に富を循環させる手段として貢献させる取組みが求められています（図1－7）。

再生可能エネルギーは、「持続可能な豊かな社会」を実現するために大きな期待が持てるエネルギーです。しかし、その普及のあり方をめぐっては、さまざまな課題があります。本書で取り上げるのはその一部分にすぎませんが、一緒に考えていきましょう。

コラム①　川上家のオール電化住宅

川上博さん（NPO 地域づくり工房「くるくるエコプロジェクト」顧問）は旧国鉄で変電の業務に携わっていたノウハウを生かして、自宅前の農業用水路に自ら設計したらせん式水車をかけて、そこから得られる電気（交流）を直流に変電して蓄電池（工業用バッテリー）に充電し、家庭の電力を補っています。

らせん水車で得られる電力は 240W にすぎませんが、ほぼ毎日 24 時間発電するので、２日間蓄電すると、家で使う１日分の電力になります。そのうえ、川上さん宅はオール電化住宅なので、電気料金の安い深夜電力（午後 11 時～午前７時）のみを購入し、これも蓄電池に充電しています。

あたりが暗くなってから川上さんのお宅におじゃますると、家に明かりが見当たりません。居間の方を外からのぞき込むと、テレビ画面の明かりがカーテンに反射して、在宅であることがわかります。

川上さんは、できる限り、自分が作った水車の電力で生活をしたいと考えているのでしょう。徹底的に節電生活をしています。

自宅前の小水路で発電　　**自作の変電＆蓄電設備**

川上さんが設計したらせん水車と川上さんがほとんど手作りした変電設備

第２章　多様な再生可能エネルギー

エネルギー供給構造高度化法（表１－１）では再生可能エネルギーとして７つの種類を示しています（太陽光、風力、水力、地熱、太陽熱、大気中などの熱、バイオマス）。他にも、様々な種類の再生可能エネルギーが開発されています。ここでは、それらの特徴をながめていきます。

ここでは、発電の能力（出力）をＷで表します。

1kW＝1,000W

1MW（メガ）＝1,000kW＝1,000,000W

1GW（ギガ）＝1,000MW＝1,000,000kW＝1,000,000,000W

1. 太陽光発電（photovoltaics：PV）

太陽光発電は、太陽光が物質に当たると電子が発生する「光電効果」を利用したものです。一般的な素材では電子はそのまま飛び出してしまうので、半導体を利用したのが太陽電池（ソーラーパネルまたはモジュール）です。Ｎ型、Ｐ型という２種類のシリコン半導体を重ね合わせた構造となっていて、太陽光があたると電子が光のエネルギーを吸収して動き出します。このとき、２カ所の電極を導線で結ぶと、電流が流れます（図１－８）。

太陽光発電は化学反応により発電を行います。他の発電はタービン（turbine、回転式原動機）を回す動力源（火力、原子力、風力、水力、地熱、バイオマスなど）の違いです。

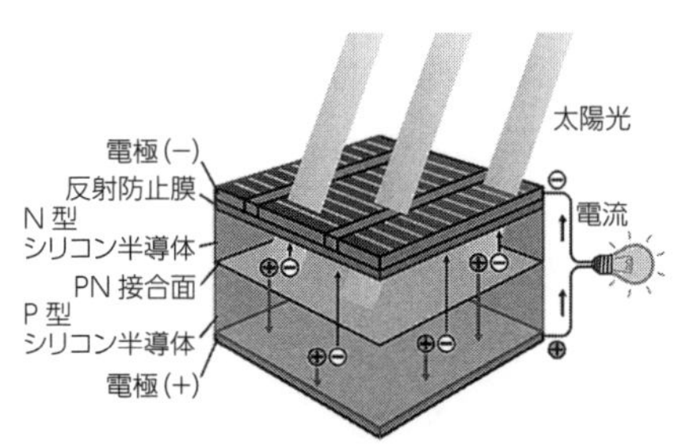

図１－８　太陽光発電の仕組み
出所：中部電力ホームページより

昼間のみの発電ですが、設置が容

易なので、建物の屋上や遊休地などで急速に広がりました。最大規模では岡山県美作市にある事業区域約410haで約260MW（メガワット）のものがあります（2019年12月完成）。また、気温が25℃以上になると発電効率が悪くなるため、長野県や山梨県の標高の高いところでも開発が進みました。

2. 風力発電（wind power generation）

風力発電は、風の流れでブレード（blade）と呼ばれる羽の回転がタービンを使って電力を生み出すものです（図1－9）。

商業用のものは、上空の強い風を受けるように、背が高く、ブレードも大きいのが一般的です。地上設置型で高さ100m（約30階建ビル）、ブレードの幅はジャンボジェット機の両翼（約75m）と同じくらいあります。洋上型では高さ180mを超えるものもあります。

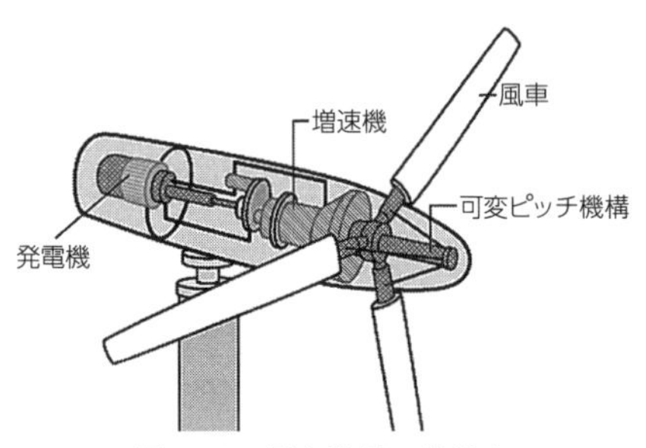

図1－9　風力発電の仕組み
出所：中部電力ホームページより

発電量は、地上型の大きなもので1.5～2.0MW、洋上型では8.0～9.0MWと、最も効率的に風が得られた場合は大出力となります。しかし、「風まかせ」なので不安定さが伴います。

国内では、北海道や東北、九州に多くあり、海沿いや山の上などに設置されています。また最近は、風況が安定していることから、洋上型の風力発電を開発する動きが加速しています（図1－10）。

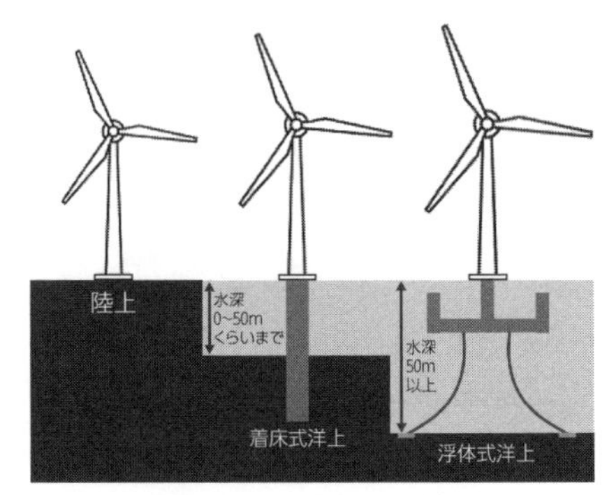

図1－10　風力発電の種類
出所：YAHOO!きっずより

3. 水力発電（hydropower）

地形が急峻で雨の多い日本では、水車による粉ひきのように、水力は最も歴史のあるエネルギー源です。

水力発電は、水が高い所から低い所へ流れる時の位置エネルギーを利用して、水車の回転でタービンを動かして発電します。

発電所は、大きくわけると水路式とダム式があります。他に、上流と下流の2つのダムを利用して、昼間発電に使った水を下のダムでためておき、深夜電力の余りを逆送電して下のダムから上のダムに揚げて、より大きな発電をする「揚水式」もあります（図1－11）。

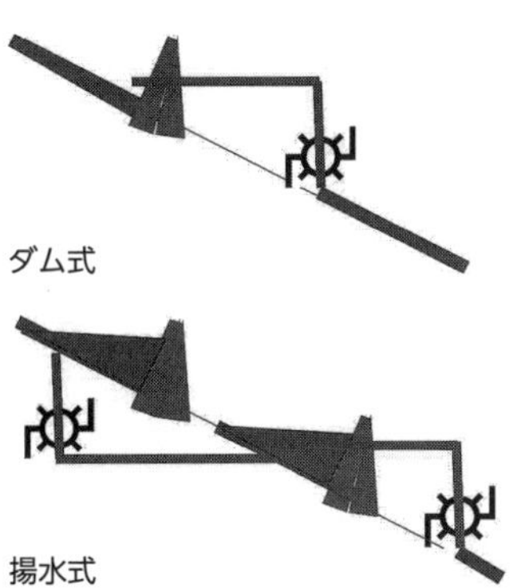

ダム式

水路式
取水後の河川の瀬切れなどにより生態系や人々の生活に影響を与える可能性がある。

揚水式
大きな構造物を設け、浸水する面積も広くなるため、自然破壊や集落への影響が大きいことが多い。揚水式は水を循環利用するので汚濁する可能性がある。

ミニ式
取水した場所で発電するので生態系への影響は少ない。近隣への騒音防止等の配慮が必要。

図1－11　水力発電の種類

筆者作成

理論水力

kW＝G×Q×H＝重力係数×一秒間の流量×落差＝9.8×m²/s×m

水路での流量の求め方

①流れる水の断面積を求める

＊水路の水が常に流れている水位で計る。

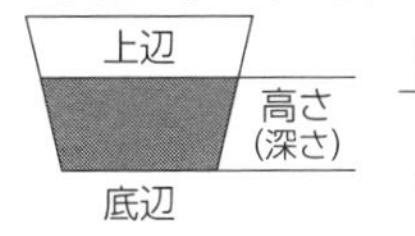

$\dfrac{(上辺＋底辺)＋高さ}{2}$

(台形の面積の求め方)

②流速を調べる

＊10m間を木くずなどが何秒で流れたかを3回程試し、その平均値を秒数で割る。

③流量を計算する

＊①×②＝m²×m/秒＝m³/s

図1－12　理論水力の求め方

筆者作成

注：用水路での発電の場合、水が流れている断面積（m²）と1秒間に流れる水の距離（m）をかけると流量が算出できる。幅50cmの水路に深さ20cmの水が、高さ1mの落差工を流れ落ちているとすると、9.8×1×1＝9.8kWが理論水力となる。実際に得られる電力は理論水力に発電の効率（0.4～0.5）をかけたもの。

4. 地熱発電（geothermal power generation）

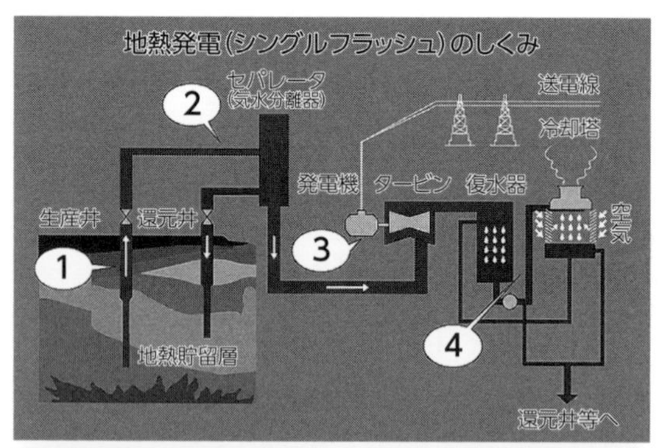

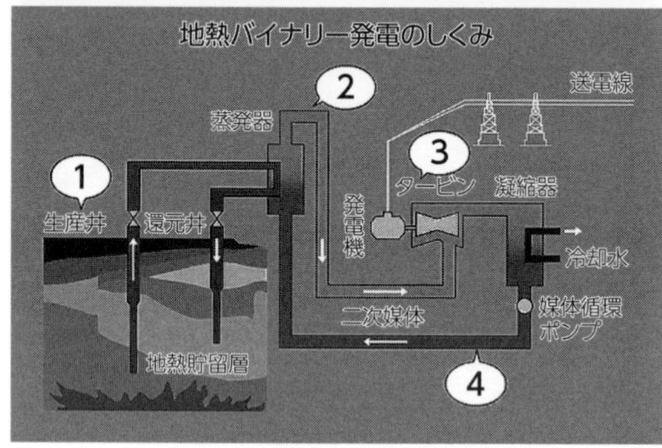

図1－13　地熱発電の種類
（フラッシュ方式とバイナリー方式）
出所：日本地熱協会ホームページより

雨が地下の高温マグマ層まで浸透すると、マグマの熱で蒸気になって地下1000m～3000m付近に溜まります。この高温の蒸気を井戸などで取り出し、タービンを回すことで発電するのが地熱発電です。

発電方法には大きく2種類あります（図1－13）。

フラッシュ方式は、地下の200℃以上ある熱水の貯留層から蒸気を取り出し、タービンを回します。発電後の蒸気は冷却塔で水にして地下に戻します。

バイナリー方式は、既にある温泉熱（水）などを活用するもので、新たな掘削などを必要としません。熱水の温度は100℃程度が目安で、水よりも沸点の低い有機媒体などを温めて作り出した蒸気によってタービンを回し、発電する方式です。

火山や温泉地の多い日本には有望な自然エネルギーです。

5. 太陽熱（solar heat）

太陽熱利用は、太陽光発電のような光電効果を利用するものではなく、直接熱を利用するものです。古くからビニールハウスや温室、ソーラークッカー（太陽光を鏡などで集光して加熱調理）といった簡単な利用方法があります。より効率的に使う方法として、太陽熱温水器やソーラーヒートポンプ（低沸点の冷媒を蒸発させてヒートポンプを駆動させて冷暖房などに用いる）などもあります。

発電への利用では、集熱器を用いて熱に変換し、熱せられた空気や蒸気を用いてタービンを回して発電する方法があります。

6. 大気中の熱その他の自然界に存在する熱

(1) 空気熱（または大気熱、aerothermal energy）

空気の熱を、ヒートポンプ（heat pump）を利用して集めて、移動させることで、冷暖房や給湯に利用することができます。たとえばエアコンは、暖房の場合、室外の熱を集めて移動させて室内を暖かくします。冷房の場合、室内の空気中の熱を集めて室外に熱を放出させて、室内には冷たい空気が送られます。ヒートポンプ式の給湯器では、集めた熱で水を温めてお湯をつくります。もともと空気中にある熱を利用するので、あらたに熱を起すことに比べて、エネルギーは少なくて済みます。

(2) 温度差熱利用（temperature difference energy）

海水、河川水、地下水、下水などの水温と外気温との差を利用して、ヒートポンプを用いて熱供給を行うものです。まとまりのある地区や集合住宅、大型施設などの冷暖房に利用されています。

高松市番町地域では、香川県社会福祉総合センターや香川県庁、高松赤十字病院などの大規模な増改築工事にあわせて、地下水等を利用した地域熱供給事業を行っています。

(3) 地中熱利用（geothermal pump）

大気の温度に比べて、地下 10〜15m の深さになると年間を通して温度の変化がほとんどありません。夏は外気温度よりも地中温度が低く、冬場は外気温度よりも地中温度が高いという温度差熱を利用して効率的な冷暖房等を行います。東京スカイツリーを中心とする地域（約 10.2ha）の熱供給システムに利用されています。

(4) 雪氷熱利用（snow and ice thermal energy）

寒冷地において、冬期の雪や氷を保管し、冷熱が必要となる時季に利用するものです。雪の集め方には、貯雪庫へ重機を使って搬入する方法、コンテナに雪を積もらせたり投げ入れたりする方法、街なかでは雪の堆積場（雪捨て場）を利用する方法もあります。氷の場合は、水を入れた容器を外気で凍らす方法、池や沼の氷を利用する方法、ヒートパイプ（銅を使った伝熱管）を使用して貯蔵庫の周辺を人工の凍土にする方法もあります。

これらは冷熱として利用されます。古くからは農産物の貯蔵に使われてきましたが、近年では施設の冷房にも使われています。北海道の新千歳空港では、空港内の除雪でできた雪山の冷熱を夏期に空港ビルの冷房に利用しています（2010 年稼働）。最大で 12 万 m^3 の雪を使用し、冷房電力の 18% 削減が見込まれています。

(5) 風穴小屋

山の地すべりで岩や石が積みあがった斜面などで、そのすき間から自然の冷風が吹き出す場所を風穴（ふうけつ）と言います。風穴小屋は冷風を利用した天然の冷蔵倉庫です。昔から農作物や苗木の保存などに使われ、明治期に入って蚕種の孵化調整に利用されたことで全国 300 カ所以上に広がり、日本の近代化を支えました。

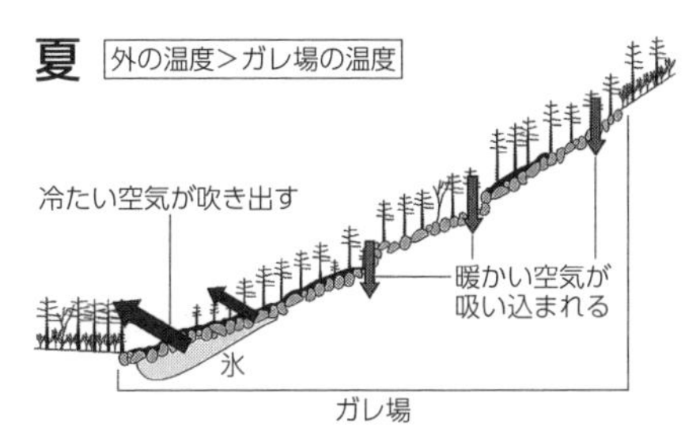

図1－14　風穴から冷風が出てくる仕組み（夏）
出所：『風穴を知っていますか？』（2017年、NPO地域づくり工房）

鷹狩風穴小屋

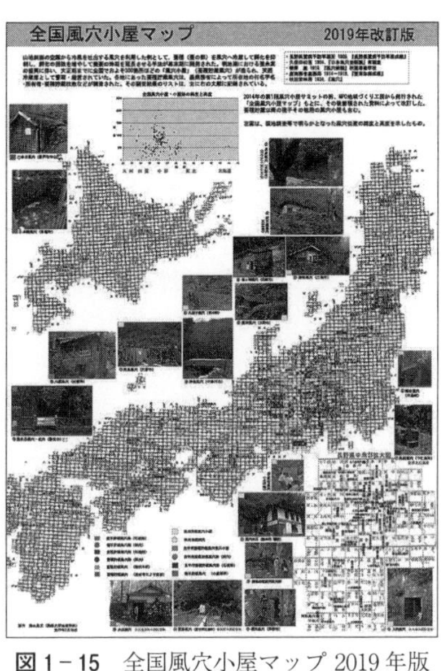

図1－15　全国風穴小屋マップ 2019年版
出所：NPO 地域づくり工房作成
注：WEB版「風穴 net」では電子地図上で検索できる。

コラム②　私の家の氷室

私の家は築105年の湖畔に面した元旅館で「氷室」があります。1950年代まで、湖から切り出した氷の塊を筵（むしろ）で覆って貯蔵し、冷蔵倉庫として利用しました。漬物や冬に釣ったワカサギの保存、氷はかき氷や刺身用に使いました。電気冷蔵庫の普及とともに使われなくなりましたが、1980年代になると湖が全面結氷しない年が出てきて、今では全面結氷すると地元新聞で報じられるくらいにまれな現象となりました。温暖化の進行を足元から感じさせられます。

氷室内（いまは物置になっている）

冷風が吹き出す仕組みは、岩体や石のかたまりの中で、冷たい空気は下へ、暖かい空気は上へと移動し、蓄熱される原理によるもので、真夏でも0〜5℃の冷気を吹き出します（図1－14）。

現在、ほとんどの風穴小屋は森の中に朽ち果てていますが、地域の資源として再生利用する動きが広がりつつあります。2014年夏、全国風穴小屋サミットが長野県大町市で開催されたのを機に、毎年交流を重ね、全国風穴ネットワークも発足しています。

7. バイオマス（biomass）

バイオマスとは、動植物から生まれた、再利用可能な有機性の資源のことで、石油や石炭などの化石燃料は除きます。木材や紙、ゴミ、動物の死骸やふん尿、海藻やプランクトンなどが代表例です。

発生源などから、「廃棄物系」「未利用」「資源作物」の3つに大別されます（表1－2）。

その利用方法は多様です（図1－16）。燃料（biofuel）として直接利用するもの（エタノールやバイオ軽油など）と、発電の場合は直接燃焼したりガス化させて燃焼したりしてタービンを回し発電するものとに大別されます。

バイオマスの燃焼から出る二酸化炭素は、生物の成長過程で大気から吸収されたものであるため、大気中の二酸化炭素を増加させないカーボンニュートラル（carbon-neutral：気候中立）であると言われています。

表1－2　バイオマスの種類

区　分	資源物の例
廃棄物系	家畜排せつ物、食品廃棄物、廃食油、建設発生木材、製材工場残材、パルプ工場廃液、下水汚泥、し尿汚泥など
未利用	稲わら、麦わら、もみ殻、林地残材（間伐材、被害木等）
資源作物	でんぷん・糖質系作物（さとうきび、とうもろこし、イモ類など）
	油糧作物（なたね、大豆、アブラヤシなど）

筆者作成

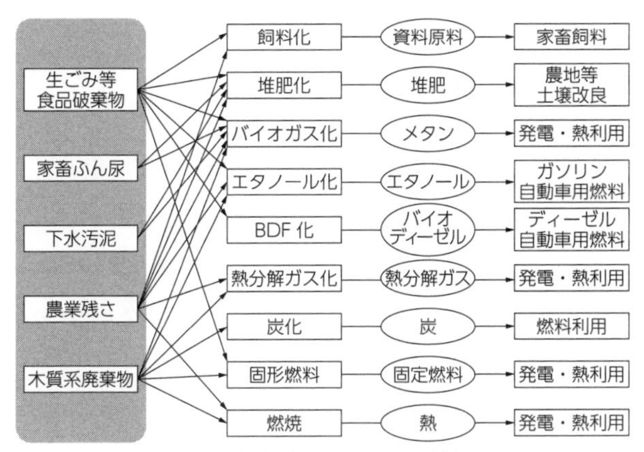

図1－16　廃棄物系バイオマスの種類と利用

出所：環境省ホームページより

8. その他の再生可能エネルギー

近年、研究開発や実証実験が進められており、有望視されている新エネルギー（New Energy）をいくつか紹介します。

(1) 海洋発電

「海洋国」といわれる日本では、海洋発電に大きな期待が寄せられています。海洋発電の代表的なものを紹介します。

①潮力発電

大別して潮流発電（潮流そのものを利用）と潮汐発電（潮の干満差を利用）とがあります。地球の自転や月の公転に伴って海水が満ち引きする際の運動エネルギーを電力に変えます。たとえば、湾を堤防で閉め切り、潮の満ち引きに合わせて湾の内側と外側の海面の高低差を作り、低い方へ流れる力でタービンを回して発電します。仕組みは水力発電と基本的に同じです。

②海流発電

海流発電装置を海に浮かせて、黒潮のような潮の力を利用してタービンを回し、発電するものです。

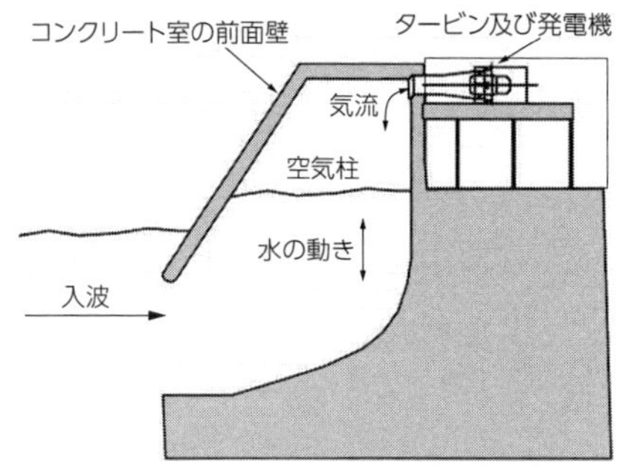

図1－17　振動水柱型発電の仕組み
出所："Ocean Energy: Global Technology Development Status"（2009, IEA-OES）

③波力発電

ここでは4つのタイプを紹介します。

「振動水柱型発電」は、航路用ブイの電源に広く使われています。仕組みは、発電装置の中にある空気室に海水が流れ込み、海面の上下運動によって空気が押し出されることで生じた風がタービンを回して発電するものです（図1－17）。

「可動物体型発電」は、波エネルギーを振り子の運動エネルギーに変換し、油圧モーターを回転させて発電します。

「越波型発電」は、貯留地を設けて、防波堤を越えてきた波が貯留池に溜まると海水面との高低差をなくそうとする海水の移動によって生じる流れのエネルギーでタービンを回し、発電します。

「ジャイロ式」は、ジャイロ効果（おもちゃのコマのように、回転する物体がその姿勢を一定に保とうとする性質）を利用するものです。高速で回転させた円盤を大きな浮きの上に置くと、波に揺られて傾きながらもジャイロ効果によって、円盤をまっすぐに保とうとする回転運動が生まれるので、波の揺れだけで発電機を回せるため、効率の良さで注目されています。

④海洋温度差発電

温かい海面と深海との温度差を利用して発電するもので、地中熱発電と原理は同じです。

⑤塩分濃度差発電

大型の淡水化施設での導入が進められようとしているもので、大きく2つのタイプがあります。

「浸透圧発電」は、海水と淡水の間に水を選択的に透過させることができる半透膜を挟むと、塩分濃度差により淡水側から海水側へと水分子が移動する際の浸透圧という現象を利用してタービンを回して発電するものです。

「逆電気透析発電」は、タービンを回すのではなく、太陽光発電のように化学反応を利用したものです。陽イオン交換膜と陰イオン交換膜の間に海水を供給し、両端の電極に電圧をかけてイオン交換を行い、脱塩水を得る技術を電気透析といいます。逆電気透析は、これとは逆の動作を行って、海水と淡水から電力を得る技術です。

(2) 振動発電

振動発電は，振動や衝撃、動きから電気エネルギーを取り出すものです。自動車や鉄道、機械、人などが動くたびに必ず振動は発生するため、汎用性の高さが注目されています。

大別して3種類（圧電式、電磁誘導式、静電式）があります。

圧電式は材料が振動によって変形する際に発生する電位差を電力として回収するものです。「発電床」に利用が図られています。

電磁誘導式は、振動による磁場の変化で回転式の発電機を稼働させるものです。歴史は古く、1988年にセイコーエプソンが開発した発電機能を搭載した腕時計の例もあります。

静電式は、2つの基板が向かい合った構造で、片方には電荷を半永久的に帯びたエレクトレット（electret：電石）があり、もう片方には対向電極があります。振動によりエレクトレットと対向電極の位置関係がずれることで電力が生まれる仕組みです。出力は小さいものの、構造が単純なので機器を小型化しやすいのが特徴です。

(3) 紫外線発電、赤外線発電

太陽光発電のパネルには様々な種類の半導体などが使用されており、素材ごとにそれぞれ吸収する波長が異なります。そこで、紫外線や赤外線で発電できる太陽電池の開発が進められています。

紫外線発電は、窓ガラスのように透明な太陽光発電パネルも可能です。横浜のビール工場では、既設の窓ガラスに後からガラスを貼り付けて熱の流出を防ぐことで省エネを図っていますが、この後付けガラスを透過性の高い太陽光発電仕様にしています。

赤外線発電の分野では、夜間の地表と空との温度差を用い、放射される赤外線から発電する試みもあり、夜間でも発電する太陽光発電として注目されています。

9. 主な再生可能エネルギー発電の特徴

主な再生可能エネルギー発電について、その特徴を一覧表にしました（表1－3）。環境問題などの課題は別の章でとりあげます。

発電効率でみると、水力発電が最も効率が高く、太陽光発電が最も低くなっています。水力発電は水が流れているところであれば昼夜を問わず発電できるのに対して、太陽光発電は昼間に限られて、雨や曇りにより発電効率が落ちるためです。

ライフサイクルでみたCO_2排出量でみると、製造や廃棄の過程での環境負荷が高い太陽光発電が最もCO_2排出量が多くなっています。

再生可能エネルギーの開発においては、地域で得られる資源との関係で効率的な発電方法を選択するとともに、製造から開発・運用・廃棄に至る期間でみた環境への影響を考慮することが必要です。

表1－3　主な再生可能エネルギー発電の特徴

名　称	発電効率	$LCCO_2$ g-CO_2/kWh	立地特性
1　太陽光発電	15～20%	38	日当たりの良い場所
2　風力発電	20～40%	25	風が安定して吹く場所
3　中小水力	60～80%	11	豊富な水量や落差が得られる場所
4　地熱発電	20%	13	火山帯や温泉のわく地域
5　太陽熱発電	20～40%	—	日当たりの良い場所
6　バイオマス発電	20%	—	資源物が得られる場所など

出所：電力中央研究所『電中研ニュース』2010年8月、等より筆者作成
発電効率：発電効率＝電気出力/エネルギー×100（%）
$LCCO_2$（ライフサイクルCO_2排出量）

第3章　国内外の普及状況

1. 世界の動向

(1) 急速な普及とコストの低減

資源エネルギー庁「国内外の再生可能エネルギーの現状と今年度の調達価格等算定委員会の論点案」(2020年9月) によれば、世界の再生可能エネルギー発電設備の容量は、2018年までに約2,517GWに到達し、さらに増加を続けています。2014年から2018年までの4年間に682GW増大し、毎年約180GWのペースで増えていると試算されています (図1－18)。

こうした急速な普及の背景には、再生可能エネルギー (とりわけ太陽光発電と風力発電) を整備する費用 (コスト) が年々低下していることがあります。FIT (固定価格買取制度) などが後押しし、普及することでさらにコストが低下するという関係も見られます。

再生可能エネルギーのコストは、総発電コスト (計画段階から廃棄処分に至る総費用) をそのシステムが生涯にわたって発電する量で割った価格で、LCOE (Levelized Cost of Electricity：均等化発電原価) と言われています。

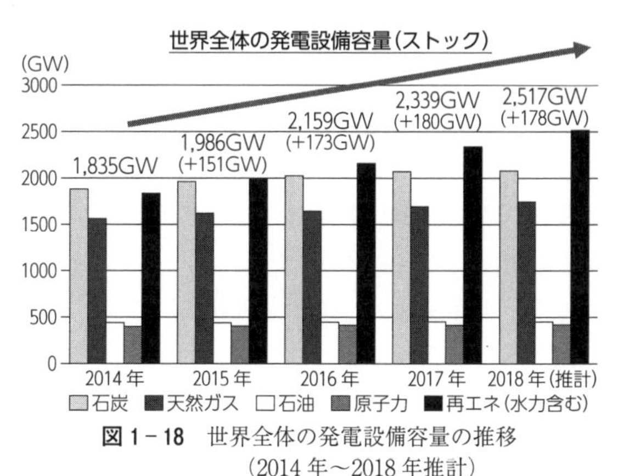

図1－18　世界全体の発電設備容量の推移
(2014年～2018年推計)

出所：資源エネルギー庁

世界では、太陽光発電・

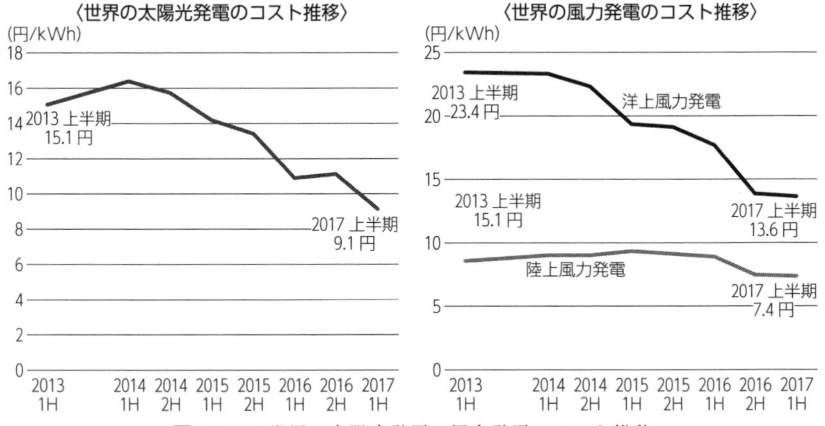

図１－19　世界の太陽光発電・風力発電のコスト推移

出所：資源エネルギー庁

表１－４　世界と日本の再生可能エネルギーの調達価格

	日　本	世　界 (2017 年上期)
太 陽 光	40 円/kWh（2012 年度)⇒19.6 円/kWh（2017 度）	9.1 円/kWh
陸上風力	22 円/kWh（2016 年度)⇒20.0 円/kWh（2018 度）	7.4 円/kWh

出所：資源エネルギー庁資料を参考に筆者作成

風力発電ともに 2013 年以降コストが大きく低減し、特に洋上風力はコストが半減しています。2017 年上半期の世界の発電コストは、太陽光発電 9.1 円/kWh、洋上風力発電 13.6 円/kWh、陸上風力発電 7.4 円/kWh 程度となっています（図１－19)。

日本でもコストは低下しつつありますが、世界の動向から比べるとまだ高い状況にあります（表１－4)。

一方、世界では、LCOE と入札制度における落札価格を比較すると、太陽光発電・陸上風力発電ともに、落札価格の平均値は LCOE の水準よりも低い傾向にあります。このことは、今後もコストが低減化する見込みであることを示しています。

(2) 主要国別にみた特徴

主要9カ国における再生可能エネルギー（発電事業）の導入状況をみると（図1－20）、水力を除いた場合、風力を主力とする国が最も多く7カ国あり、太陽光は日本とイタリアの2カ国です。

水力でみると、大小300万の湖があるカナダでは約6割を占めています。水力を含めた再生可能エネルギー全体では65.6%と、他国から群を抜いて再生可能エネルギー比率が高くなっています。

一方、枯渇性エネルギーでみると、温室化効果ガス発生型発電の代表格である石炭火力は、中国の比率（67.9%）が最も高く、ドイツ（39.0%）、日本（31.2%）、アメリカ（31.0%）も3割以上を占めています。日本は、天然ガスや石油を含めると、温室効果ガス発生型発電に76.6%も頼っていることがわかります。

原子力でみると、フランスの比率（71.5%）が最も高く、深刻な原発災害

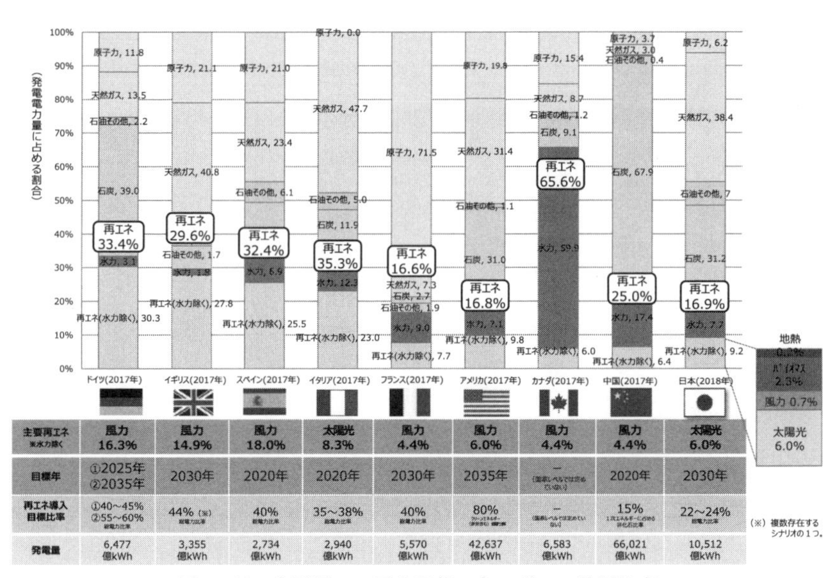

	ドイツ(2017年)	イギリス(2017年)	スペイン(2017年)	イタリア(2017年)	フランス(2017年)	アメリカ(2017年)	カナダ(2017年)	中国(2017年)	日本(2018年)
主要再エネ ※水力除く	風力 16.3%	風力 14.9%	風力 18.0%	太陽光 8.3%	風力 4.4%	風力 6.0%	風力 4.4%	風力 4.4%	太陽光 6.0%
目標年	①2025年 ②2035年	2030年	2020年	2020年	2030年	2035年	－（国家レベルでは定めていない）	2020年	2030年
再エネ導入目標比率	①40～45% ②55～60% 総電力比率	44%（※） 総電力比率	40% 総電力比率	35～38% 総電力比率	40% 総電力比率	80%	－（国家レベルでは定めていない）	15% 1次エネルギーに占める非化石比率	22～24% 総電力比率
発電量	6,477 億kWh	3,355 億kWh	2,734 億kWh	2,940 億kWh	5,570 億kWh	42,637 億kWh	6,583 億kWh	66,021 億kWh	10,512 億kWh

（※）複数存在するシナリオの1つ。

図1－20　主要国での再生可能エネルギーの発電比率

出所：資源エネルギー庁

表1－5　発電電力用の国際比較（水力発電を除く）

（単位：GWh）

	2012年	2018年	増加率
日　本	309	963	3.1倍
E　U	4,319	6,743	1.6倍
ドイツ	1,217	1,962	1.6倍
イギリス	358	934	2.6倍
世　界	10,693	21,870	2.0倍

出所：資源エネルギー庁資料

を経験した日本は6.2%と、イタリア（0.0%）、中国（3.7%）に次いで少なくなっています。イタリアは、かつて4基の原子力発電所がありましたが、国民投票の結果（1987年11月）、核燃料サイクル施設を含む全ての原子力施設が閉鎖されました。

日本での再生可能エネルギー（水力を除く）の増加スピードは、この近年でみると他国に比べて早く（表1－5）、図1－20とあわせてみると太陽光がそれを牽引していることがわかります。

2. 日本での導入状況と目標

日本国政府は、第5次エネルギー基本計画（2018年7月）において、エネルギー供給の中長期展望を示しています。

これによると、3E＋S（エネルギーの安定供給、経済効率性の向上、環境への適合、安全性）を満たすために、さまざまな発電方法を組み合わせた電源構成（エネルギーミックス）を実現させることをうたっています（図1－21）。その中で、再生可能エネルギーの普及についても導入目標を掲げています。

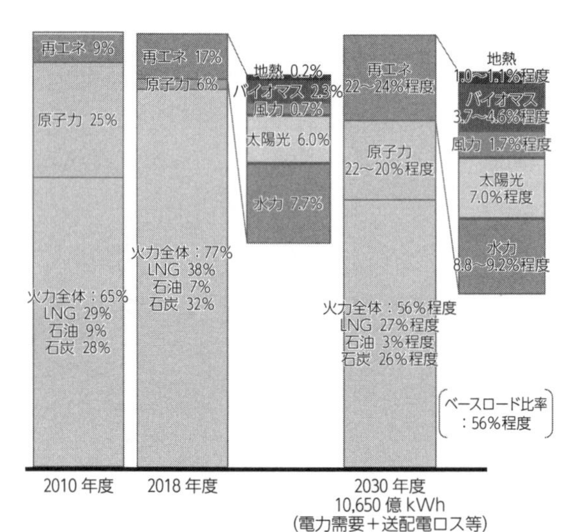

図1－21　第5次エネルギー基本計画における電力構成

出所：資源エネルギー庁

この電力構成の目標を

表1－6　再生可能エネルギーの電力構成と導入進捗率

（単位：kW）

	導入水準 2020年3月	電力構成（構成比） 2030年度	電力構成に対する進捗率
太陽光	5,580万	6,400万（約69%）	約87%
風力	420万	1,000万（約11%）	約42%
地熱	59万	140～155万（約2%）	約40%
中小水力	980万	1,090～1,170万（約12%）	約86%
バイオマス	450万	602～728万（約7%）	約68%
計	7,489万	9,232～9,453万	約82%

出所：資源エネルギー庁資料より筆者作成

みると、原子力発電を再稼働させて現状の3倍以上に増やしながらも、温室効果ガス排出量の多い火力はいぜん56%を占めています。

こうした中、2050年カーボンニュートラルの目標により、同基本計画は大幅な見直しが必要になるとともに、再生可能エネルギー普及への政策的なプレッシャーが強まると思われます。

同基本計画による再生可能エネルギーにおける電力構成（2030年）を見ると（表1－6）、約7割を太陽光が占めており、87%まで進捗しています。中小水力も86%まで進捗しているとの位置づけです。

一方、風力は42%の進捗率で、電力構成からみると開発の余地があるとみることができます。現在、洋上風力をはじめ、風力発電の開発が各地に広がっていることの背景となっています。

3. 永続地帯研究

（1）永続地帯研究とは

千葉大学倉阪秀史研究室と認定特定非営利活動法人環境エネルギー研究所では「永続地帯研究」を2007年から実施し、毎年報告書をWEB公開しています。

永続地帯とはある区域で得られる資源によって、区域内のエネルギー需要と食糧需要を賄うことができる区域のことです。これは、数値の上で需要量を上回っていることを示すものであって、完全な区域内で自給自足を意味するものではありません。とはいえ、21世紀の人類にとって深刻な課題であるエネルギーと食糧について、地域の実態を把握することは重要です。

同研究では、域内の民生及び農林水産用のエネルギー需要を「地域的エネルギー需要」と表現し、自給率の尺度としています。

(2) 2020年度版報告書の概要

「永続地帯研究2020年度報告書」(2021年4月公表)は、2020年3月末までに稼働している再生可能エネルギー設備を把握した上での推計を行っています。その要点を紹介します。

①FIT(2012年7月)導入により、これまで太陽光発電を中心として全国で再生可能エネルギーの導入が進んでいる。2019年度には、はじめて風力発電の伸び率(12%)と地熱発電の伸び率(13%)が、太陽光発電の伸び率(6%)を上回った。一方、FITの対象でない再生可能エネルギー熱供給は約4%減少した。

②地域的エネルギー需要を上回る量の再生可能エネルギーを生み出している市区町村(エネルギー永続地帯)数は2019年度で138あり、2011年度の50から大きく増加している。

③地域的な電力需要を上回る量の再生可能エネルギー電力を生み出している市区町村(電力永続地帯)は2019年度で226(2011年度は84)に増えて、全市町村

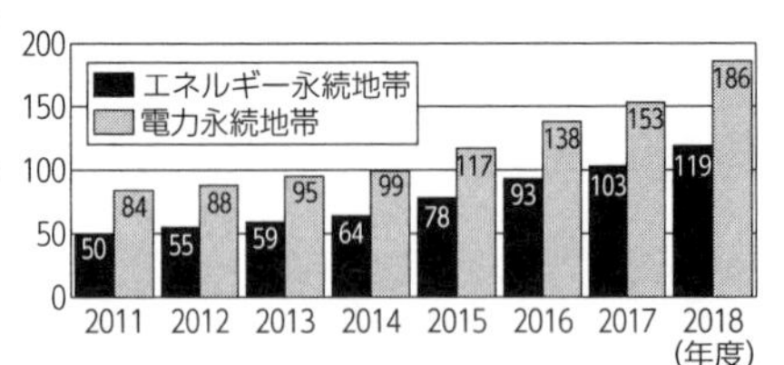

図1－22　エネルギー永続地帯・電力永続地帯市町村数推移

出所：自治体研究社『住民と自治』2020年6月号41頁

注：エネルギー永続地帯市町村とは、域内の民生・農林水産業用エネルギー需要を上回る再エネを生み出している市町村。電力永続地帯市町村とは、域内の民生・農水用電力需要を上回る量の再エネ電力を生み出している市町村。なお、2014年3月以前の試算には、バイオマス発電とバイオマス熱利用に、一般廃棄物のバイオマス分の発電／熱利用が含まれていない。

表1－7　永続地帯市町村一覧（2019年版）

【北海道：16】稚内市、紋別市、茅部郡森町、檜山郡江差町、檜山郡上ノ国町、久遠郡せたな町、磯谷郡蘭越町、虻田郡ニセコ町、苫前郡苫前町、天塩郡幌延町、有珠郡壮瞥町、勇払郡安平町、様似郡様似町、河西郡更別村、中川郡豊頃町、白糠郡白糠町、**【青森県：6】**西津軽郡深浦町、上北郡七戸町、上北郡横浜町、上北郡六ケ所村、下北郡東通村、三戸郡新郷村、**【岩手県：5】**八幡平市、岩手郡雫石町、岩手郡葛巻町、九戸郡軽米町、二戸郡一戸町、**【宮城県：3】**刈田郡蔵王町、刈田郡七ケ宿町、黒川郡大郷町、**【秋田県：5】**湯沢市、鹿角市、にかほ市、山本郡三種町、山本郡八峰町、**【山形県：3】**西村山郡朝日町、最上郡大蔵村、飽海郡遊佐町、**【福島県：4】**南会津郡下郷町、河沼郡柳津町、田村郡小野町、双葉郡川内村、**【栃木県：3】**那須烏山市、塩谷郡塩谷町、那須郡那珂川町、**【群馬県：3】**吾妻郡長野原町、吾妻郡嬬恋村、利根郡昭和村、**【富山県：1】**下新川郡朝日町、**【石川県：2】**羽咋郡志賀町、羽咋郡宝達志水町、**【山梨県：1】**北杜市、**【長野県：5】**南佐久郡小海町、小県郡長和町、上伊那郡飯島町、上水内郡信濃町、下水内郡栄村、**【三重県：1】**多気郡多気町、**【鳥取県：1】**西伯郡伯耆町、**【岡山県：2】**苫田郡鏡野町、久米郡久米南町、**【徳島県：1】**阿波市、**【愛媛県：1】**上浮穴郡久万高原町、**【高知県：1】**幡多郡大月町、**【福岡県：1】**田川郡赤村、**【熊本県：6】**阿蘇郡小国町、阿蘇郡西原村、上益城郡山都町、球磨郡錦町、球磨郡水上村、球磨郡相良村、**【大分県：2】**豊後大野市、玖珠郡九重町、**【宮崎県：3】**児湯郡川南町、児湯郡都農町、西臼杵郡五ケ瀬町、**【鹿児島県：4】**出水郡長島町、姶良郡湧水町、曽於郡大崎町、肝属郡南大隅町

出所：「永続地帯研究2020年度報告書」
注：「永続地帯市町村」は域内の民生・農水用エネルギー需要を上回る量の再生可能エネルギーを生み出している市区町村であって、カロリーベースの食料自給率が100％を超えている市町村。

数の1割以上を占めるようになった。

④2019年度における日本全国での地域的エネルギー自給率は15.6％となる。

⑤地域的エネルギー需要の1割以上を再生可能エネルギーで計算上供給している都道府県は41、2割以上は26、3割以上が10となった。

⑥100％エネルギー永続地帯である市町村のうち、80の市町村が食料自給率でも100％を超えている「永続地帯」となった。

（3）自治体政策の停滞

一方、報告書の2019年度版に掲載されている市町村の再生可能エネルギー政策調査結果は、日本全体としては再生可能エネルギー導入に向けた市町村の取組みが停滞傾向にあることを指摘しています。

同調査のアンケートに回答した自治体1,391（全市町村の79.9％）のうち、

再生可能エネルギーに関する目標を設定しているのは342（24.6％）にとどまっています。また、過去に設定していたが現在は設定のない自治体は35（2.5％）あり、457（45.9％）は今後も設定する予定はないと回答しています。

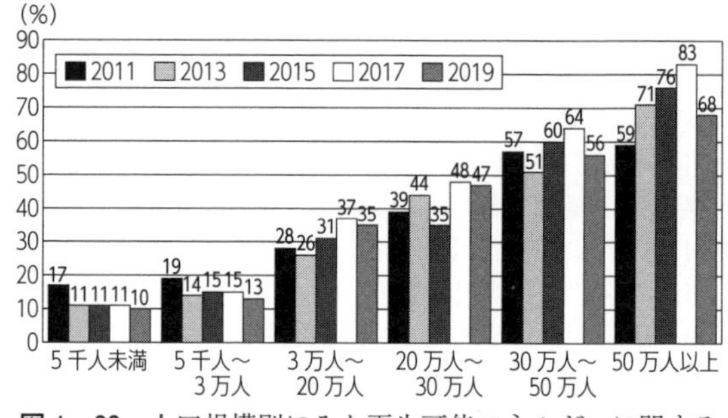

図１－23　人口規模別にみた再生可能エネルギーに関する行政目標の設定割合

出所：自治体研究社『住民と自治』2020年6月号43頁

人口規模が大きいほど再生可能エネルギー導入目標を設定している比率が大きくなっているものの、最新の調査で頭打ち傾向が見られます（図１－23）。

倉阪秀史教授は、再生可能エネルギー推進の政策は、地域の富の流出を抑制し、新しい雇用を生み出し、非常時のエネルギー確保にも通じるが、そうしたメリットが具体的に実感されていない状況があるのではないかと指摘しています。

コラム③　二酸化炭素排出実質ゼロに向けて

2021年1月8日時点で、204自治体（28都道府県、116市、2特別区、48町、10村）が「2050年までに二酸化炭素排出実質ゼロ」を表明しています。その人口は約9,028万人となります。なお、表明自治体は日々増えています。

「実質ゼロ」は、CO_2などの温室効果ガスの人為的な発生源による排出量と、森林等の吸収源による除去量との間の均衡を達成することを言います。

しかし、表明した176市区町村のうち、永続地帯研究による「電力永続地帯」に相当するものは1割に満たない状況があります。目標と現実のギャップを今後どのように埋めていくのか、また、急いで埋めようとすることによる問題は生じないのかなど、課題は山積しています。

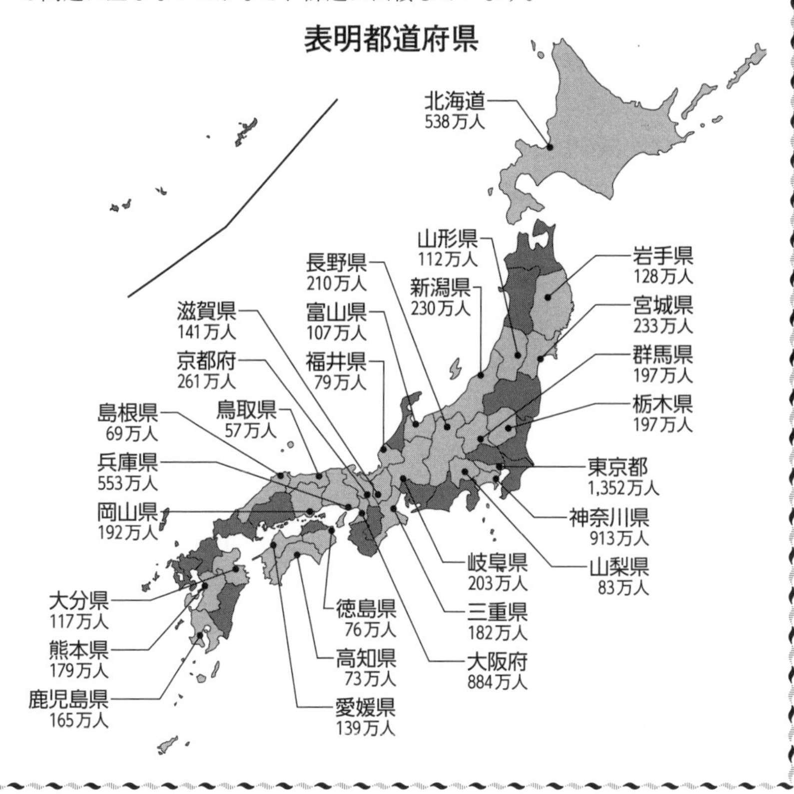

表明市区町村

- 北海道
  - 札幌市
  - 石狩市
  - ニセコ町
  - 古平町
- 岩手県
  - 久慈市
  - 二戸市
  - 葛巻町
  - 普代村
  - 軽米町
  - 野田村
  - 九戸村
  - 洋野町
  - 一戸町
  - 八幡平市
  - 宮古市
- 山形県
  - 山形市
  - 米沢市
  - 東根市
  - 南陽市
  - 朝日町
  - 高畠町
  - 川西町
  - 飯豊町
  - 庄内町
- 福島県
  - 郡山市
  - 大熊町
  - 浪江町
- 栃木県
  - 鹿沼市
  - 大田原市
  - 那須塩原市
  - 那須烏山市
  - 那須町
  - 那珂川町
- 群馬県
  - 太田市
  - 藤岡市
  - 神流町
  - みなかみ町
  - 大泉町
- 茨城県
  - 水戸市
  - 土浦市
  - 古河市
  - 結城市
  - 常総市
  - 高萩市
  - 北茨城市
  - 取手市
  - 牛久市
  - 鹿嶋市
  - 潮来市
  - 守谷市
  - 常陸大宮市
  - 那珂市
  - 筑西市
  - 坂東市
  - 桜川市
  - つくばみらい市
  - 小美玉市
  - 茨城町
  - 城里町
  - 東海村
  - 五霞町
  - 境町
- 埼玉県
  - さいたま市
  - 秩父市
  - 所沢市
- 千葉県
  - 千葉市
  - 成田市
  - 八千代市
  - 山武市
  - 野田市
  - 我孫子市
  - 浦安市
  - 四街道市
- 東京都
  - 世田谷区
  - 葛飾区
  - 多摩市
- 神奈川県
  - 横浜市
  - 川崎市
  - 相模原市
  - 鎌倉市
  - 小田原市
  - 三浦市
  - 開成町
- 新潟県
  - 新潟市
  - 柏崎市
  - 佐渡市
  - 粟島浦村
  - 妙高市
  - 十日町市
- 富山県
  - 魚津市
  - 南砺市
  - 立山町
- 石川県
  - 金沢市
  - 加賀市
- 山梨県
  - 南アルプス市
  - 北杜市
  - 甲斐市
  - 笛吹市
  - 上野原市
  - 中央市
  - 市川三郷町
  - 富士川町
  - 昭和町
- 長野県
  - 小諸市
  - 佐久市
  - 東御市
  - 松本市
  - 軽井沢町
  - 池田町
  - 立科町
  - 白馬村
  - 小谷村
  - 南箕輪村
- 岐阜県
  - 大垣市
- 静岡県
  - 静岡市
  - 浜松市
  - 御殿場市
  - 牧之原市
- 愛知県
  - 岡崎市
  - 半田市
  - 豊田市
  - 大府市
  - みよし市
- 三重県
  - 志摩市
  - 南伊勢町
- 滋賀県
  - 湖南市
- 京都府
  - 京都市
  - 宮津市
  - 京丹後市
  - 大山崎町
  - 与謝野町
- 大阪府
  - 大阪市
  - 枚方市
  - 東大阪市
  - 泉大津市
- 兵庫県
  - 神戸市
  - 明石市
- 奈良県
  - 生駒市
- 和歌山県
  - 那智勝浦町
- 鳥取県
  - 北栄町
  - 南部町
- 島根県
  - 松江市
- 岡山県
  - 真庭市
- 広島県
  - 広島市
  - 尾道市
- 香川県
  - 高松市
  - 善通寺市
- 愛媛県
  - 松山市
- 福岡県
  - 北九州市
  - 福岡市
  - 大木町
- 長崎県
  - 平戸市
  - 五島市
- 佐賀県
  - 佐賀市
  - 武雄市
- 熊本県
  - 熊本市
  - 菊池市
  - 宇土市
  - 宇城市
  - 阿蘇市
  - 合志市
  - 美里町
  - 玉東町
  - 大津町
  - 菊陽町
  - 高森町
  - 西原村
  - 南阿蘇村
  - 御船町
  - 嘉島町
  - 益城町
  - 甲佐町
  - 山都町
- 宮崎県
  - 串間市
- 鹿児島県
  - 鹿児島市
  - 知名町

図1－24　2050年二酸化炭素排出実質ゼロ表明自治体（2021年1月8日時点）

出所：環境省ホームページより

第 4 章　普及推進策

1. 固定価格買取制度

(1) 制度の概要

再生可能エネルギーの中でも、太陽光、風力、水力、地熱、バイオマスによる電気の安定的な供給を確保するための制度として、固定価格買取制度(2012 年 7 月施行) があります。正式名称を「電気事業者による再生可能エネルギー電気の調達に関する特別措置法」といいます。これら再生可能エネルギー源を用いて発電された電気を一定の期間・価格で電気事業者が買い取ることを義務付けるものです (表 1－8)。

買い取りに要する費用は、全ての電気使用者から賦課金として毎月、電気事業者が徴収する仕組みとなっています (図 1－25)。

表 1－8　再生可能エネルギーの固定価格買取制度の概要

制度の仕組み	再生可能エネルギーで発電した電気を、電力会社が一定価格で一定期間買い取ることを国が約束する制度。買取費用の一部を電気使用者から賦課金という形で集め、コストの高い再生可能エネルギーの導入を支える。
買取の対象	太陽光、風力、水力、地熱、バイオマスのいずれかを使って、国が定める要件を満たす事業計画により新たに発電を始めるもの。発電した電気は全量が買取対象になるが、建物の屋根に載せる太陽光の場合（住宅 10kW 未満、ビル・工場 10～50kW）は、自分で消費した後の余剰分が買取対象となる。
賦課金	買取費用は、全ての電気使用者が賦課金を払うことでまかなわれる。その額は電気使用量に比例し、全国一律の単価である。単価は、年間の再生可能エネルギー導入状況を推測し、毎年度経済産業大臣が決める。推測値と実績値の差分は翌々年度の賦課金単価で調整する。

出所：資源エネルギー庁資料を参考に筆者作成

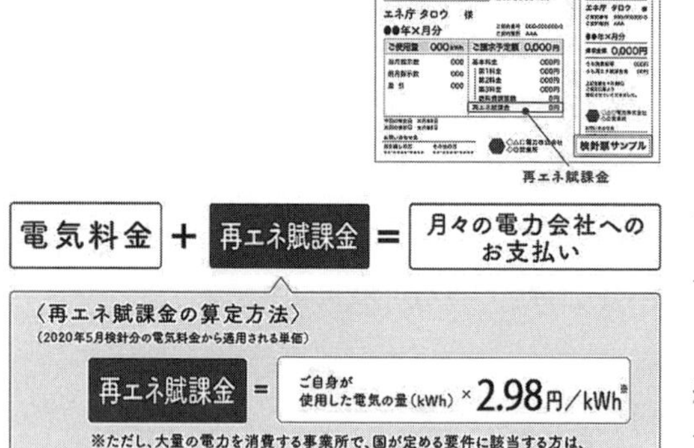

図1－25　再生可能エネルギー賦課金制度の概要
出所：資源エネルギー庁

(2) 導入に至る経緯

固定価格買取制度はFIT（Feed-in Tariff）と呼ばれています。Feed in（～を与える、入れる）とTariff（関税、料金表など）とを組み合わせた言葉で、再生可能エネルギーを導入した際の費用負担を買取価格に「入れ込んだ料金体系」と言う意味です。

固定価格買取制度は、米国のPURPA法（Public Utility Regulatory Policies Act、1978年）が起源で、カルフォルニア州での風力発電事業の普及を後押ししたと言われています。国家レベルでは、1990年採用のドイツが最初とされ、これにより電力総需要に対する再生可能エネルギーのシェアを2000年の6.3%から2007年末には14%に倍増させ、生産コストも下げるなどの成果をあげました。

日本では、オイルショック（1970年代）や地球温暖化防止などを背景に、枯渇性資源の使用を抑え、再生可能エネルギーの普及を図る制度が構築されてきました（表1－9）。

2000年代に入って、ドイツでのFITによる成果を受けて、日本でも導入が検討されましたが、これを退けて導入されたのが固定枠制（RSP：Renewable Portfolio Standard）でした。

これは、電気事業者に対し、一定割合以上の再生可能エネルギーから発電される電気の利用を義務づけることにより、新エネルギーの普及を図る制度です。総合資源エネルギー調査会新エネルギー部会新市場拡大措置小委員会報告書（2001年6月）は、「現実的な導入可能量を踏まえたクオータ設定が行われる等の結果、（中略）そのことが発電事業者間の競争を促し、コスト削

表1－9　再生可能エネルギーの普及に関する諸制度のあゆみ

制定年	名　称（略称）	概　要
1979年	エネルギーの使用の合理化に関する法律（省エネ法）	燃料資源の有効利用確保のため、工場、建築物等の省エネ対策を講じる法律。4回の改正により、規制対象の拡大や内容の強化が進められている。
1980年	非化石エネルギーの開発及び導入の促進に関する法律（旧代エネ法）	エネルギー供給事業者は、国の「基本方針」に基づき、非化石エネルギー源の利用及び化石エネルギー原料の有効利用の促進が義務付けられている。
1997年	新エネルギー利用等の促進に関する特別措置法（新エネ法）	新エネルギー利用等の促進を加速化させるために、国・地方公共団体、事業者、国民等の各主体の役割を明確化する基本方針の策定等を規定。
1998年	地球温暖化対策の推進に関する法律（温対法）	京都議定書を受けて、各主体が一体となって取組むための枠組みを定めた。温室効果ガスを一定量以上排出する事業者は排出量を算定して国に報告することが義務付けられた。
2002年	エネルギー政策基本法	安定供給の確保、環境への適合、市場原理の活用を基本方針に各主体の責務を定めた。本法律に基づく第5次基本計画（2018年7月）は、政府として初めて再生可能エネルギーを主力電源化する方針が示された。
2003年	電気事業者による新エネルギー等の利用に関する特別措置法（新エネ利用特措法）	本文参照
2009年	エネルギー供給事業者による非化石エネルギー源の利用及び化石エネルギー原料の有効な利用の促進に関する法律（エネルギー供給構造高度化法）	
2009年	石油代替エネルギーの開発及び導入の促進に関する法律等の一部を改正する法律	旧代エネ法（1980年）を見直して、非化石エネルギー全体の供給目標や導入指針を定める内容に改正。エネルギー供給構造高度化法とともに成立。
2011年	電気事業者による再生可能エネルギー電気の調達に関する特別措置法（再生可能エネルギー特措法＝FIT法）	
2017年	改正FIT法	
2021年	改正地球温暖化対策推進法（改正温対法）	①2050年までの脱炭素社会の実現を基本理念に明記。 ②自治体実行計画において、地域の脱炭素化や環境問題などの課題解決に貢献する事業の認定制度を創設し、関係法律の手続きのワンストップ化と円滑な合意形成を促進。 ③企業の温室効果ガス排出情報のオープンデータ化。

筆者作成

減インセンティブが維持される」などと固定枠制度を推奨しました。FITについては、「固定価格での買取りが保証されるため、発電事業者側にコスト削減インセンティブが働きにくい」などと指摘しました。これを受けて2003年「電気事業者による新エネルギー等の利用に関する特別措置法」（新エネ利用特措法）として、太陽光、風力、地熱、水力、バイオマスを対象にして導入されました。しかし、電気事業者による買取量や買取価格の交渉・設定に当たっての片務性などから十分に機能しませんでした。固定枠制はFIT導入に伴い2012年度に廃止となりました。

現行FITに先行する売電制度として「エネルギー供給事業者による非化石エネルギー源の利用及び化石エネルギー原料の有効な利用の促進に関する法律」（エネルギー供給構造高度化法、2009年11月施行）があります。これは、住宅等に設置された太陽光発電からの余剰電力を所定の価格で買い取るように義務付けたものです（余剰電力買取制度）。開始時点の買取価格は、10kW未満の住宅用が48円、10kW以上の非住宅用が24円でした。電気事業者に買取義務が生じたのは太陽光発電のみで、風力などは対象外でした。

同制度により売電期間は10年間と定められており、制度開始10年目となる2019年度からは「売電期間の満了」を迎える設置者（初年度で約56万件）が多く、「2019年問題」とも呼ばれています。経済産業省は11円/kWhを目安として公表していますが、当初価格が48円と高額だったため、該当する家庭などの収入源は大きく減ることとなります。これは、FIT発足後に急速に太陽光の普及が進み、売電金額が低下したことの反映です。なお、「2019年問題」を機に、自家消費の工夫に対する関心が高まりました。このことはFIT制度における買取期間終了後にも共通した課題であります。

このような経過の後、東日本大震災と福島第一原子力発電所事故（2011年3月11日）をきっかけに、再生可能エネルギーのさらなる普及を求める世論が高まる中で、2011年8月にFIT法が成立しました。

(3) 賦課金単価の推移

第2章でみたように、FIT導入後、日本では急速に再生可能エネルギーの普及が進みました。FITによる電力の買取費用は、全ての電気使用者から賦課金として毎月の電気料金から徴収される仕組みであるため、再生可能エネルギーの普及拡大は直接、消費者が支払う電気料金に反映されます。

表1－10　賦課金単価の推移

年度	賦課金（円/kWh）	対前年度	標準家庭の負担額（300kWh/月）
2012	0.22	—	年　792円、月　66円
2013	0.35	＋0.13	年　1,260円、月 105円
2014	0.75	＋0.40	年　2,700円、月 225円
2015	1.58	＋0.83	年　5,688円、月 474円
2016	2.25	＋0.67	年　8,100円、月 675円
2017	2.64	＋0.39	年　9,504円、月 792円
2018	2.90	＋0.26	年 10,440円、月 870円
2019	2.95	＋0.05	年 10,620円、月 885円
2020	2.98	＋0.03	年 10,728円、月 894円
対2012年		＋2.76	＋9,936円、＋828円

出所：資源エネルギー庁資料をもとに筆者作成

政府が毎年度決める賦課金単価の推移をみると（表1－10）、制度導入の2012年から2020年の8年間に2.76円/kWh増加しました。これは標準家庭あたりで約1万円負担が増加したことになります。

(4) 固定価格買取制度の改正

FIT制度開始から4年間で再生可能エネルギーの導入量は約2.5倍に増加し、一方で生産コスト買取価格が年々低減し、その成果は大きかったと言えます。しかし、課題も顕在化してきました。

第一に、太陽光に偏った導入（認定量の9割）です。設置が比較的容易なため、高値買取を見込んだ投機的な事業を誘引しました。それにより、事業の熟度が低く、未稼働となっているものもあります（図1－26）。

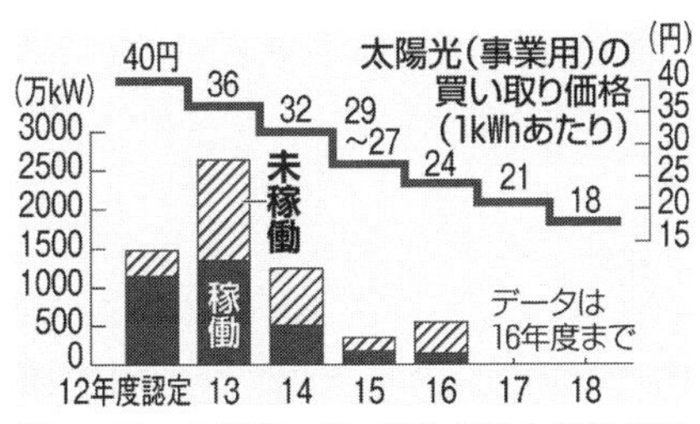

図1－26　太陽光の買い取り価格と稼働状況
出所：朝日新聞社提供

第二に、そもそも投機的な動機であったため、管理がずさんな太陽光発電所もあって、各地で安全上の問題を起こしています。太陽光発電を規制する法律が明確でなく、適用する技術基準などはあっても罰則規定

表1－11　改正FIT法の5つの柱

1. 新認定制度の創設	・未稼働案件の排除と、新たな未稼働案件発生を防止する仕組み ・適切な事業実施を確保する仕組み
2. コスト効率的な導入	・大規模太陽光発電の入札制度 ・中長期的な買取価格目標の設定
3. リードタイムの長い電源の導入	・地熱・風力・水力等の電源の導入拡大を後押しするため、複数年買取価格を予め提示
4. 減免制度の見直し	・国際競争力維持・強化、省エネ努力の確認等による減免率の見直し
5. 送配電買取への移行	・FIT電気の買取義務者を小売事業者から送配電事業者に変更 ・電力の広域融通により導入拡大

出所：資源エネルギー庁資料を参考に筆者作成

がなかったことが背景にあります。

第三に、こうした状況のつけが消費者・国民の負担となっていることです。2016年度時点で買取費用は約2.3兆円でしたが、2030年度の電力構成では3.7～4.0兆円を想定しています。

第四に、再生可能エネルギー普及の地域的な偏在もあり、広域融通による電力需要のひっ迫時への対応など、電力システムの見直しも必要です。

第五に、原子力や火力の既存発電が優先されて、「接続可能量」や「空き容量ゼロ回答」といった実質的な買取拒否の問題も起きていますが、その根拠は不明瞭で、情報公開が必要です。

第六に、EUのようなトラッキングシステム（発電源証明）がなく、消費者が再生可能エネルギーを選択できないため、「優先供給」ができない状況があります。

第七に、この制度は発電に限定しており、熱利用など多様な再生可能エネルギーの普及という点では不十分なものでした。

こうした背景の下、制度創設から4年後の2016年5月に法改正が行われ、翌2017年4月より施行されました。その内容は5つの柱からなり（表1－11）、種々の改良が試みられています。しかし、積み残しの課題も多く、とりわけ「優先接続」条項が削除されたことは再生可能エネルギーを最大限導入できる制度としての運用に不安を残しました。

(5) 固定価格買取制度の今後

改正FIT法で最も注目される改正点は、買取価格に入札制度が導入されることです。これは、大規模太陽光発電などを対象として、入札参加資格を審査し、参加資格が認められた者が安定的かつ効率的に電気を供給できる1kWh当たりの価格と発電出力について入札するものです。最も安価な札を入れた者から順次、入札全体の募集容量に達するまでの者を落札者として、認定を取得する権利が付与されます。

改正の趣旨は、競争原理を導入することで、国民負担の軽減を図ることです。しかし、中央の大規模事業者でないと入札のリスクを負えないため、地域主導型の再生可能エネルギー事業が妨げられる可能性もあります。

第1回「入札制度」の募集要領（2017年）は、全体で500MWを容量として、2,000kW以上の産業用太陽光発電所でのみ採用されていますが、今後はFIT廃止をにらみ、適用範囲が拡大していくことが予測されます。

今後の売電価格は低下していくことが避けられません。これまでの「売電で儲ける」という事業のあり方は見直しを迫られることになります。

こうした中、売電ではなく、自宅や自社の施設で使用する「自家消費」に注目が集まりつつあります。その背景には、1kWhあたりの電気代が売電価格を上回るようになったことがあります。このことは、後述する自立分散型の再生可能エネルギーの開発にも可能性を示唆しています。

2. 各種規制緩和

FIT導入と並行して、行政刷新会議（事務局：内閣府）による「規制・制度改革に関する分科会報告書（エネルギー）」（2012年3月）の検討を踏まえて、「エネルギー分野における規制・制度改革に係る方針」（同4月）が閣議決定され、各府省庁において再生可能エネルギーの導入拡大に向けた各種規制の見直し・緩和が行われました。

国による主な規制の見直し・緩和の概要を表1－12に例示しました。

これらの他にも、都道府県・政令市などでも、都市計画では第一種低層住居専用地域での工作物設置の制限について太陽光を除外する例、環境影響評価条例では工作物設置や土地造成で対象面積を超えるものであっても太陽光を除外する例などがありました。

しかし、後述するように、様々なトラブルが発生する中で、こうした規制緩和を見直す自治体が次々と出てきました。

表1－12　国による主な規制の見直し・緩和の概要

区　分	実施名	概　要
太陽光発電	電気事業法上の保安規制の合理化	工事計画届出や使用前安全管理審査の対象となる範囲を出力500kW以上から出力2,000kW以上に緩和。
	工場立地法上の取扱いの見直し	太陽光発電施設を届出対象施設から除外し、工場立地法上の環境施設に位置付ける。
風力発電	環境影響評価の手続き迅速化	低周波音の環境基準が無くとも、遅滞なく適切に審査することが可能である旨周知するとともに、手続きの迅速化を図るべく環境基礎情報の整備を行う。
	洋上風力発電に関する制度環境の整備	浮体式風力発電設備について建築基準法の適用除外とし、船舶安全法に基づく安全性の審査に一本化。
地熱発電	ボイラー・タービン主任技術者の不選任要件の緩和	電気事業法施行規則等を改正・施行し、一定の条件を満たす小型のバイナリー発電設備に係るボイラー・タービン主任技術者の選任等を不要とした。
小水力発電	河川法の許可手続の簡素化	最大出力1,000kW未満の水利使用について許可手続を簡素化し、申請から許可までの期間を短縮。
	ダム水路主任技術者選任不要化範囲の明確化	ヘッドタンクや農業用水路等内に設けられた堰が電気事業法におけるダムに当たらないことを周知。
再生可能エネルギー全般	保安林における許可要件・基準の見直し	保安林の指定解除に関して用地事情の確認範囲や代替施設の設置の必要性を明確化。保安林の作業許可に関して工事用道路の拡幅等への柔軟な対応など。

出所：資源エネルギー庁資料より筆者作成

コラム④　権利を使い終えた水？

ミニ水力発電を行う上で、河川法23条に基づく水利許可の手続きは大きな壁です。NPO 地域づくり工房が2003年に3つの発電所を立ち上げるための水利許可手続きには多くの労苦がありました。とはいえ、東日本大震災後における手続きの簡素化が検討された際、私たちの実践例があったことで、規制緩和に大きく貢献したと自負しています。

その過程で「水利許可を要しない発電方法」を知りました（図1－27参照）。ひとつは、河川法が対象としない普通河川（法定外河川）で、沢水などがそれにあたります。もうひとつが「権利を使い終えた水」です。発電用水や農業用水、工業用水、水道用水などとして使い終えた水がそれにあたります。たとえば、工業用水として、河川から工場に引き込む途中で発電する場合は水利許可が必要ですが、工業用水として冷却や洗浄などに使い終えた水を使って発電する場合は水利許可が必要ないのです。にわかには理解できませんが、水力発電の一つの抜け道でもあります。

水力発電というと、山間地が適しているイメージがありますが、たとえば上下水道の場合は大都市部の方が流量が大きいため事業化の可能性はあります。足元の資源の可能性を探ることはとても面白い作業です。

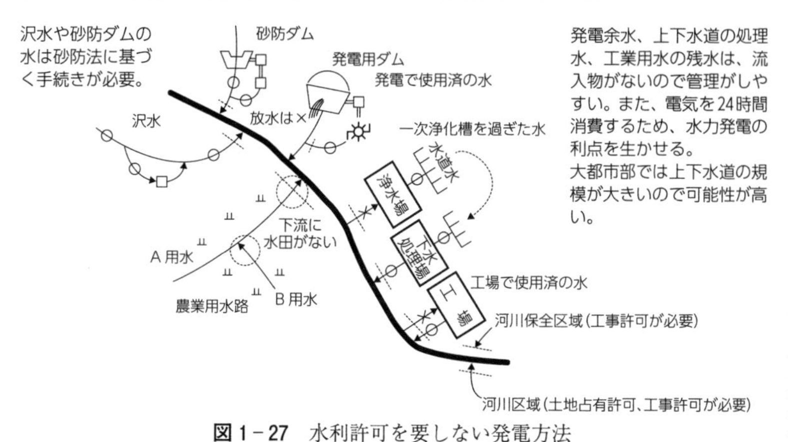
沢水や砂防ダムの水は砂防法に基づく手続きが必要。
砂防ダム
発電用ダム
発電で使用済の水
沢水
放水は×
一次浄化槽を過ぎた水
水道水
浄水場
下水処理場
工場
下流に水田がない
A 用水
B 用水
農業用水路
工場で使用済の水
河川保全区域（工事許可が必要）
河川区域（土地占有許可、工事許可が必要）
発電余水、上下水道の処理水、工業用水の残水は、流入物がないので管理がしやすい。また、電気を24時間消費するため、水力発電の利点を生かせる。
大都市部では上下水道の規模が大きいので可能性が高い。

図1－27　水利許可を要しない発電方法

出所：NPO 地域づくり工房『ミニ水力発電普及実践講座（2019年改訂版）』

第5章　事前配慮促進策

1. 開発許可等に関連する法規

(1) 事前配慮手続き

再生可能エネルギー設備の整備には、計画から施工に至る各段階において、種々の手続きがあります（表1－13）。手続きを踏ませることで事業者に対して事前配慮を促すのが制度のねらいです。

太陽光発電を例にすると、主な法律には「建築基準法」と「電気事業法」があります。建築物の屋根材や外壁材として太陽電池モジュール（いわゆる「太陽光」パネル）を用いる場合は、建築基準法が定める「構造耐力」「防火性」「耐久性」「安全性」に関する要求基準を十分に検討・確認してパネルの選定を行うことが必要です。また、電気事業法では、出力規模や電圧の種別によって手続きが異なります。

しかし、新規参入した事業者の中には、専門的知識が不足したまま、事前配慮が十分ではなく、防災・環境上の懸念等をめぐり地域住民との関係が悪化するなど、種々の問題が顕在化しました。改正FIT法は、適切な事業実施の確保等を図るため、事業計画の認定制度が創設されました。

新たな認定制度では、事業計画が、①再生可能エネルギー電気の利用の促進に資するものであり、②円滑かつ確実に事業が実施されると見込まれ、③安定的かつ効率的な発電が可能であると見込まれる場合に、経済産業大臣が認定を行います。さらに、この事業計画に基づく事業実施中の保守点検及び維持管理並びに事業終了後の設備撤去及び処分等の適切な実施の遵守を求め、違反時には改善命令や認定取消しを行うことが可能とされています。

表１－13　再生可能エネルギー設備の導入に関連する関係法令の例

	手続き等の内容	根拠法
計画・用地選定	農地転用許可	農地法・農業振興地域の整備に関する法律
	森林における開発許可等	森林法
	開発許可	都市計画法
	土地の形質変更に係る届出	土壌汚染対策法
	埋蔵文化財包蔵地土木工事等届出	文化財保護法
	土地売買等の契約届出	国土利用計画法
	道路使用許可等	道路交通法
	道路の占用許可	道路法
	景観法等に基づく届出	景観法
	宅地造成等規制法に基づく許可又は届出	宅地造成等規制法
	砂防指定地における行為許可等	砂防法
	急傾斜地崩壊危険区域内の行為許可	急傾斜地の崩壊による災害の防止に関する法律
	地すべり防止区域内の行為許可	地すべり等防止法
	行為許可申請等	自然公園法
	自然環境保全地域等における行為の許可又は届出	自然環境保全法
	生息地等保護区の管理地区内等における行為の許可等	絶滅のおそれのある野生動植物の種の保存に関する法律
	特別保護地区内における行為許可	鳥獣の保護及び管理並びに狩猟の適正化に関する法律
	史跡・名勝・天然記念物指定地の現状変更の許可	文化財保護法
	臨港地区内における行為の届出	港湾法
	漁港の区域内の水域等における占用等の許可	漁港漁場整備法
設計・施工	工事計画の届出	電気事業法
	主任技術者の選任及び届出	
	保安規程の届出	
	使用前安全管理検査	
	供給計画の届出	
	建築確認申請（太陽光発電設備）	建築基準法
	消防法に基づく申請等	消防法
	道路使用許可等	道路交通法
	道路の占用許可等	道路法
	道路法に基づく車両制限	
	遺跡・遺物等の発見報告	文化財保護法

出所：資源エネルギー庁「再エネガイドブック」より筆者作成

(2) 環境影響評価制度（国及び自治体）

環境影響評価（Environmental Impact Assessment）は、開発行為に先立って、事業が環境に与える影響を回避または低減させるための対策について調査・予測・評価し、その内容を地域住民などの利害関係者に公表して、意見を求めて、より適切な環境保全対策を引き出すための取組みです。一般に環境アセスメントといわれ、本書では環境アセスと略すことにします。

日本では、開発による環境影響の大きい事業について、環境アセスの手続きを定めて、それを事業者に取組ませることにより、事前配慮を促す制度があります。国は環境影響評価法（1997年施行）を定め、68自治体（47都道府県19市）で環境影響評価に関する条例や要綱を定めています（環境省ホームページより）。一般に、自治体の条例や要綱は、環境アセス法に比べて規模の小さな事業や、環境アセス法が対象としていない種類の事業を扱っています。

図1－28　環境アセスの手続きのながれ

出所：環境省環境影響評価課

環境アセス法の手続きは、配慮書→方法書→準備書→評価書→報告書の各図書の作成と公開、これに対する意見募集などを重ねていき、許認可などに反映される仕組みです（図1－28）。自治体によっては配慮書や報告書

表1－14　環境影響評価制度における対象事業（発電関係）の比較

制度＼種別	国（環境影響評価法）		東京都条例	長野県条例	
	第1種事業	第2種事業		第1種事業	第2種事業
原子力	すべて		すべて	（法対象）	
火　力	150,000kW 以上	112,500kW 以上	112,500kW 以上	—	—
水　力	30,000kW 以上	22,500kW 以上	22,500kW 以上	15,000kW 以上	—
地　熱	10,000kW 以上	7,500kW 以上	7,500kW 以上	5,000kW 以上	—
風　力	10,000kW 以上	7,500kW 以上	—	5,000kW 以上	—
太陽光	40,000kW 以上	30,000kW 以上	—	50ha 以上	森林 20ha 以上

出所：環境省・東京都・長野県の環境影響評価のサイトより筆者作成

の手続きの規定がないところもあります。

再生可能エネルギーに関しては、2011年に風力発電所を、2020年に太陽光発電所を、それぞれ対象に加えました（表1－14）。

環境アセス法の対象となる規模は、風力発電10,000kW以上、太陽光発電40,000kW以上となっています（ともに第一種事業の場合）。自治体の条例では、長野県を例にすると、風力発電5,000kW以上、太陽光発電50ha以上となっています。長野県の場合、土地の改変や景観を重視する立場から面積で判断しています。想定される発電量は国の40,000kWに近いものです。

これらは、発電所としては大規模なものであり、とりわけ太陽光発電所については対象となるような大型設備の余地は残り少ないといわれています。しかし、実際のトラブルは小規模なものでも発生しており、環境省では「太陽光発電の環境配慮ガイドライン」（2020年3月）を公表しています。

(3) 長野県や県内市町村の取組み

事前配慮を促す取組みは、現場での必要に迫られる形で、国に先んじて自治体が先行してきました。ここでは長野県内の状況を紹介します。

①長野県

イ）環境影響評価条例

県は、国に先行して条例に太陽光発電を追加（2016年1月施行）し、第1種事業（必ず手続きを実施）は敷地面積50ha以上、第2種事業（個別に判断）は森林区域等における敷地面積20ha以上としました（表1－14）。

ロ）景観規則の改正

景観法に基づく長野県景観規則を改正し、景観区域において事前届出の必要な太陽光発電の規模要件を一般地域（築造面積1,000m^{2}以上）、景観育成重点地域（20m^{2}以上）としました。

ハ）林地開発許可

長野県林地開発事務取扱要領等を2015年9月以降順次改正し、関係機関や地元を含む調整会議を開催する規模要件を50haから10haに強化するとともに、地元説明会の適切な開催や地元を含む協定書締結について明記しました。

ニ）防災調整池等技術指針等の改定

森林法または都市計画法に基づく「流域開発に伴う防災調節池等技術基準」を、10ha以上の全ての開発行為に対して、対象降雨確率を「30年に一度」から「50年に一度」の降雨に引き上げました（2015年9月適用）。併せて県内の降雨強度式を近年の降雨状況を反映させ改正しました（2016年4月）。

ホ）市町村対応マニュアルの整備

住民の不安等に対応できるよう「太陽光発電を適正に推進するための市町村対応マニュアル～地域と調和した再生可能エネルギー事業の促進～」を公表しました（2016年6月）。

②市町村

長野県内市町村の取組み状況について、2021年1月に調べた結果を紹介します。調査方法は、インターネット検索により各市町村の施策を把握し、情報の不足は長野県「太陽光発電施設設置に係る県内市町村取組状況等調査結果（2016年1月末現在）」から補完しました。

調査の結果（表1－15）、78％にあたる60市町村で条例や要綱、ガイドライン等の何らかの対策を講じていることがわかりました。また、その時期をみると、この1～2年に集中しており、既にガイドライン等があったところでは条例化の動きも見られます。

対象とする事業は、太陽光に限定（25件）せずに、幅広く再生可能エネルギーを網羅したもの（20件）もあります。また、個別対策ではなく、従前からの開発行為（土地改質や工作物の設置等）への対策に位置付けているものもあります（15件）。

条例等が規定する手続き等で最も多いのは届出と住民説明（ともに48件）で、次いで事前協議（44件）でした。表には記載していませんが、撤去に向けた費用の積立の努力を求める規定のある町村も2件ありました。

このうち、長野市では、2015年9月策定のガイドラインにより対応してきましたが、新たに条例化しました（2021年4月施行）。条例化の要点は以下の通りです（表1－16）。運用の厳格化を図っています。

新条例「長野市太陽光発電設備の設置と地域環境との調和に関する条例」案に対するパブリ

表1－15　長野県内市町村における再エネ対策

区分		市	町	村	計
対策	あり	18	20	22	60
	なし	1	3	13	17
対象	太陽光発電	12	8	5	25
	再エネ全般	4	9	7	20
	開発一般など	2	3	10	15
根拠	条例	6	11	19	36
	要綱・規則等	4	3	1	8
	ガイドライン等	3	6	2	11
	景観計画等	2	0	0	2
手続等	許可	1	5	6	12
	同意	0	1	2	3
	届出	17	15	16	48
	抑制区域	3	8	9	20
	住民説明	13	19	16	48
	事前協議	10	16	18	44
	協定締結	3	7	7	17
	立入調査	2	5	5	12

出所：長野県住民と自治研究所「研究所だより」（2021年1月）掲載、筆者作成

表1－16　長野市の太陽光発電対策におけるガイドラインから条例化に伴う変更点

区分	ガイドライン	条例
1　届出対象の拡大	出力50kW以上	出力20kW以上
2　事前協議	規定なし	砂防指定地等での事業及び事業区域面積が3,000m^{2}超
3　説明会の参加対象	事業区域の隣接住民	事業区域境界から50m以内の住民等
4　説明会の説明事項	事業内容の周知	説明事項を具体的に規定
5　近隣住民との協議	規定なし	隣接住民等の意見への協議を規定
6　勧告等	規定なし	勧告及び勧告に従わない際の公表等

出所：長野市ホームページより筆者作成

ックコメントでは、13 件の意見が提出されました。意見の中には小規模設備が住宅地や急傾斜地等への設置の問題が指摘され、市は条例化がそれに対応するものであると説明しています。また、住民同意の義務化を求める意見に対しては、市は「裁判所の判例などから難しい」との考えが示されました。

③自治体による対策の課題

再生可能エネルギー普及の一方で、地域社会では様々なトラブルにも直面しており、自治体は対応を余儀なくされています。

長野市条例案に対するパブリックコメントに見られるように厳しい制限を求める声もあります。こうした住民感情に応えて、木曽町・麻績村・山形村では首長の同意を求める規定を条例化しています。しかし、長野市の回答にもあるように、法的な根拠に乏しいため、実効性には疑問があります。

私有財産権や営業権は憲法で保障された侵害しがたい権利であり、放置状態にある山畑や遊休地などを、再生可能エネルギーに活用したいという土地所有者の思いも尊重される必要があります。そのため、住民説明の機会を通じて、利害関係者の相互理解が図られることが大切です。今後は、市町村での対策が蓄積される中で、そうした経験が交流されることを期待します。

再生可能エネルギーの普及が持続可能な社会の建設に寄与しうるものとなるためには、地域社会における学習と対話を通じて、適切な整備に向けた努力が重ねられていく必要があります。

(4) 業界団体による自主的な取組み

①自主アセス

自主アセスとは、制度（法律や条例など）の対象とならない規模や種類の開発行為について、事業者が自主的に行う環境アセスのことです。

自主的なものであるため、全国での実施状況は把握されていませんが、環境省「環境配慮で三方一両得～自主的な環境配慮の取組事例集～」（2015 年６月）では自治体などからのアンケート調査で把握できた 44 事例の中から 11 事例の実践を掲載しています。その中で、再生可能エネルギー関連では太陽光発電所について２つの事例が紹介されています。

そのひとつ「養魚場跡地太陽光発電所計画」の事例は、私が代表を務めるNPO地域づくり工房が「自主簡易アセス」として位置付けて事業者に協力したものです。自主簡易アセスは、自主アセスの中でも、規模が小さいものを想定しており、実施方法も自由度が高く、簡易に実施できるものと規定しています（図1－29）。

この事例は、開発面積13,362m^{2}の元人工池に太陽光パネル3,480枚を設置して総出力904kWの売電を行う事業です。予定地は、地元自治体による「土地利用及び開発指導に関する条例」に基づく土地利用制度における「田園環境保全地域」に位置することから、自治体は「用途に適さない」「景観に支障をきたす」といった理由から、設置は認めない判断が示されました。事業者は、本事業を行うことの適否について、町と再度協議を行うために、自主簡易アセスを実施しました。

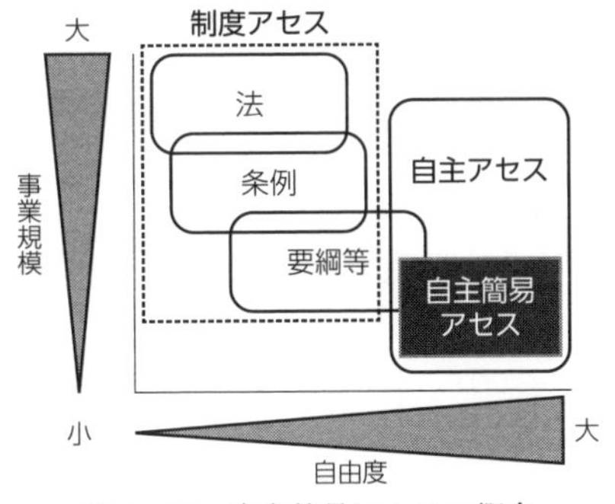

図1－29　自主簡易アセスの概念
出所：自主簡易アセス支援サイト（NPO地域づくり工房）

本件では、①景観への影響、②隣接するレジャー用釣り堀利用者のAMラジオ波への影響、③近くにある保育園に配慮した工事車両の運行について重点をおいて、3D-VRシミュレーターを使って予測評価し、住民説明会を行うとともに、WEB上に評価書案と3D-VRシミュレーション動画を公開し（図1－30）、一般からの意見も聴取しました。そのような対話努力を通じて、

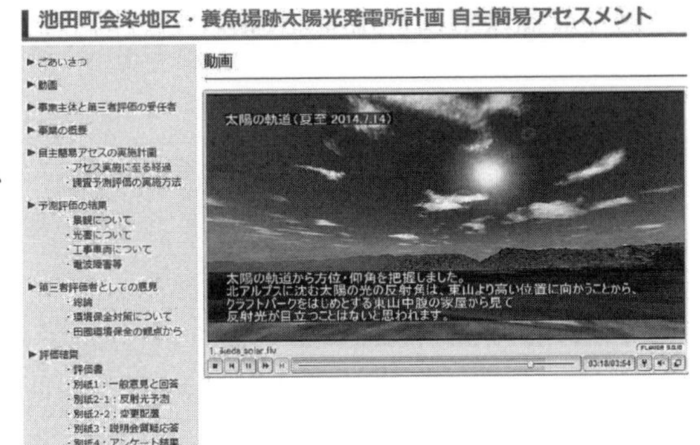

図1－30　養魚場跡地太陽光発電所計画自主簡易アセス特設サイト
出所：自主簡易アセス支援サイト（NPO地域づくり工房）

この発電所の建設について自治体から同意が得られることとなりました。

本会では、その後も太陽光発電所計画の自主簡易アセスを各地で手伝っています。ただし、すべての案件で円満に着工できているわけではありません。中止になったもの、規模縮小になったもの、対策を強化したものなど、発注いただいた事業者には申し訳ないと思う事案もあります。しかし、環境配慮と住民との対話がより良い選択に向った結果であったと、後に総括できることを願っています。

②業界の自主ルールやガイドライン

再生可能エネルギーの各分野で業界団体が組織され、研究・研修や政策提言などに取組むとともに、開発にあたって業界として守るべきルールや手順などについてのガイドラインなどを整備し、会員企業への周知を図っています。

太陽光発電の分野では、一般社団法人太陽光発電協会（JPEA、1987年設立）が、各種の自主ルール・ガイドライン・チェックリストなどをWEBサイト上にも公開し、一般市民も確認できるようにしています。その領域は、住宅用（10kW未満）、公共・産業用（10kW以上）、適正処理・リサイクル、災害・安全管理など多岐にわたります。

改正FIT法（2016年）による新たな認定制度の運用を受けて、既に導入された設備も含めて長期安定電源へと転換してゆく必要があるとの認識から、「太陽光発電事業の評価ガイド」（2018年6月、2019年4月改定）を整備しています。ここに掲載された簡易チェックシートは地域社会の立場から施設をチェックする上でも有益かつ使いやすいものとなっています。

また、将来大量に発生することが見込まれる太陽光パネルなどの廃棄に備えて、業界による費用積立を担保する制度などを内容とする「エネルギー供給強靱化法」が成立（2020年6月）し、2022年4月より施行されます。

風力発電分野では、一般社団法人日本風力発電協会（2001年任意団体として発足、2009年より一般社団法人）が各種自主ルールやガイドラインなどを公表しています。環境アセス制度の対象とならない規模のものについても「小規模風力発電事業のための環境アセスメントガイドブックVer.2」（2020

年11月）を刊行し、事業者に自主アセスを推奨しています。これらも、地域社会の側からも参考となる資料となっています。

しかし、すべての事業者がこうした業界団体に加盟しているわけではなく、特に太陽光は設置が容易であるため、様々な業種・業態が参入した結果、業界が示す品質や手順を考慮せずに事業が行われているとの指摘もあります。

今後、2050年カーボンニュートラルにむけて再生可能エネルギー分野の開発への期待が高まる中で、業界としての環境や地域社会への配慮の質を高めていく努力がいっそう求められています。

コラム⑤　環境にやさしいと思っていた

NPO地域づくり工房の会員さんが、朝から事務所に来られて、自宅の裏で始まった太陽光発電所の工事がうるさくて困っていると訴えてきました。

施工会社は、地元の建設会社が100％出資する再生可能エネルギーの特定目的会社です。本会が自主簡易アセスのお手伝いもしているので、社長さんや専務さんも良く存じ上げています。

お話を伺うと、工事の地元説明会はあったが、自分は旅行に出ていて出席できなかった。太陽光発電所は環境にやさしいものと思っていたので、開発計画の平面図を見ても特に問題を感じなかった。ところが、工事が始まると、自宅裏の土手をショベルカーで掘削する騒音と振動、太陽光パネルの架台を打ち込む甲高い音など、いてもたってもいられないというのです。しかも、工事は午前8時から始まるので、お気に入りの朝ドラの音声が聞こえない。

さっそく、会社の専務さんと連絡をとり、現場を見ながら打ち合わせて、防音シートの設置と工事開始時間を朝ドラの終了時間からにすることなどを確認し、会員さんにも了解してもらいました。

第2部
再生可能エネルギーの環境問題

「われわれ人間が自然にたいしてかちえた勝利にあまり得意になりすぎないようにしよう。そうした勝利のたびごとに、自然はわれわれに復讐するのである。なるほど、どの勝利も、最初はわれわれの見込んだとおりの諸結果をもたらしはする。しかし、二次的また三次的には、まったく違った・予想もしなかった効果を生み、これが往々にしてあの最初の諸結果を帳消しにしてしまうことさえあるのである。」

エンゲルス『猿が人間になるにあたっての労働の役割』（新日本出版社『自然の弁証法〈抄〉』63頁）

第６章　問題発生の構造

再生可能エネルギーといえども、他の開発行為と同様に、その規模や立地などに応じて環境や地域社会に対する十分な配慮が必要です。ここでは、再生可能エネルギーの開発に伴う環境問題をみていきます。

1. 各地でトラブルが発生

近年、全国各地で再生可能エネルギーを利用した発電所建設をめぐって、住民の反対運動を招くなどのトラブル事案が多発しています。主には太陽光発電に関するものですが、風力発電、バイオマス発電、地熱発電でも少なくありません。

脱原発や地球温暖化防止を進めていくためには再生可能エネルギーの普及は必要不可欠です。しかし、「再生可能エネルギーだから環境にやさしい」とは限りません。環境や地域社会への配慮に欠けた事案が多く発生していることから、再生可能エネルギーの新たな開発に対して不安や反発を引き起こしています（図2－1）。

図２－１　太陽光発電所に対する反対の看板
出所：各種資料より筆者作成

2. 再生可能エネルギー開発に伴う環境問題

FITの対象となる主要な再生可能エネルギーの開発に伴う環境問題の概要を表2-1に示しました。

再生可能エネルギーのすべての開発でこうした問題が発生するわけではありません。規模や立地によって影響のあらわれ方は違います。また、事前の対策で回避または緩和できる影響もあります。個別具体に影響を事前評価する必要があります。

環境影響評価制度は大規模な事業を対象にしていますが、開発規模が小さくなればなるほど生活の場に近くなり、身近な問題として顕在化します（表2-2)。また、虫食い状態な開発となります。

第2部では、再生可能エネルギー開発をめぐってどのような問題が起きているのか、事例を交えながら、対策のあり方にもふれていきます。

3. 問題発生の構造

(1) アクセルばかりの政策のツケ

こうしたトラブルなどの原因には、再生可能エネルギーの急速な普及という命題の下、アクセルばかりを踏んで、ブレーキを用意していなかった当時の民主党政権の政策的未熟さがありました。

アクセルとしてはFITがその中核にありますが、国や自治体は各種規制緩和でこれを加速させました。たとえば、環境影響評価条例を持つ自治体でも、土地の改変面積や工作物の設置面積が環境影響評価の実施要件を上回っていても太陽光発電所は対象事業から除外する例外規定を設けるところがありました。また、国土交通省は、第一種住居専用地域における工作物の設置の制約も太陽光発電所については除外する通達を出しました。これらは一部ですが、国・地方をあげて、政策的な誘導が集中的に行われました。

表2－1　再生可能エネルギーと主な環境問題

		太陽光発電	風力発電	地熱発電
工 事	生 活	施設の建設や工事車両の運行に伴う騒音・振動		
	自 然	山間部などの開発と取付道路の設置に伴う掘削などによる汚泥の流出、生		
存 在	生 活	反射光 電波障害	騒音・低周波 シャドーフリッカー	硫化水素による臭気 温泉泉源の維持
	自 然	生態系への影響 景観面の違和感	バードストライク 景観面の違和感	地盤変動 景観面の違和感
廃　棄		解体物の運搬に伴う沿道への影響。廃棄物の適正処理。解体時の周辺への		

筆者作成

表2－2　開発規模と環境影響

規　模	土地改変	生活環境への影響	自然環境への影響
大	大	（生活の場から離れる）	
		・土地流出・崩壊の恐れ ・工事に伴う交通公害の増大	・森林の伐採 ・生き物の生息環境のかく乱
		・工事現場からの騒音や騒動 ・反射光などによる影響	・景観の変化 ・自然ふれあいの場の喪失
小	小	（生活の場に近くなる）	

筆者作成

その後、各地で問題が頻発する中で、FIT改正（2016年5月成立）をはじめ関連する法令の改正が進められましたが、2050年カーボンニュートラルの号令の下、再生可能エネルギーの開発をめぐる規制緩和の動きが再び急になりつつあります。

(2) 太陽光発電に偏った普及

①設置の容易さによる新規業者の大量参入

再生可能エネルギーの中でも太陽光発電が群を抜いて普及してきました。その大きな要因には設置の容易さにあります。電力自由化に向けた政策的な動きを背景に、従来電力に縁の無かった業種・業態（建設、不動産、電気電

バイオマス発電	中小水力発電
態系破壊など	
燃料の燃焼や資材置き場からの臭気など	開放型の発電設備からの騒音
長距離移送 熱帯雨林の伐採	瀬切れによる生態系への影響
騒音・振動など	

設など）の新規事業開拓に熱心な企業家が参入し、各地で急速に太陽光発電所の建設が進みました。

しかし、経験の少ない業者が大量に参入したことで、環境配慮や地域との対話を軽視して用地買収や系統接続の手続きを進めたり、経費を節減するために粗雑な設備や工法により設置したりする事案が各地で出てきました。こうした発電所が、近隣とのトラブルの原因となったり、風水害で破損したりして、周囲に迷惑をかけています。そして、まじめに取組んでいる業者の足かせとなっています。

なお、太陽光発電を担う業者は、多くの場合、特定目的会社（SPC：Special Purpose Company）という形で、親会社とは別の法人格により事業を行っています。SPCは、「資産の流動化に関する法律」（1998年）に基づき設立され、特定の事業を行うことのみを目的とする会社です。太陽光発電事業などは、FITにより安定的な収入が見込めることから、親会社の信用とは切り離す（要するに親会社が倒産しても事業が継続できるようにする）ことが、銀行融資の条件となる場合があるからです。そのため、事業者の実態がかえって見えにくいという声もあります。

②電力会社の事情

太陽光発電が優先的に普及した背景には電力会社の事情もありました。火力発電や原子力発電は、昼夜を問わず、一定の電力を供給し続けることができます。しかし、需要に合わせて出力を調整することが難しく、夜間は電気が余っています。そのため、揚水発電所を設けて、昼間に下のダムに落とした水を夜間には余った電気を逆送電してタービンを逆回転させて上のダムに吸い上げることが行われています。また、各家庭に対して、エコキュート（自然冷媒ヒートポンプ式電気給湯機）などを使って、安い深夜電力を有効に使

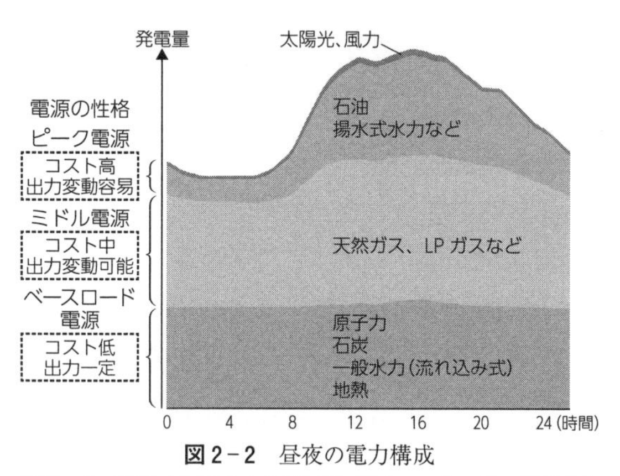

図2－2　昼夜の電力構成

出所：（一財）日本原子力文化財団「原子力・エネルギー図面集」より

うように働きかけています。このように、深夜電力の利用は電力会社にとって、切実な課題です。

また、東日本大震災（2011年3月）直後の計画停電が昼間に行われたように、事業所がフル稼働したり、電気を使った冷暖房が稼働したりと、昼間は大量の電力を必要としています。電力会社にとっては、夜間も連続して発電する水力やバイオマス、地熱などは歓迎できるものではありませんでした。NPO 地域づくり工房がミニ水力発電を開始した2003年当時、水力からの買電は3～4円/kWhと安く、自家消費の方がましという判断で事業を立ち上げました。当時、太陽光からの買電は13～14円/kWhだったので、水力発電はいかに電力会社から冷遇されていたかがわかります。

(3) 中山間地における第一次産業の疲弊

太陽光発電は、設置が容易なので、まとまった土地があれば、効率よく事業を行なうことができます。しかし、エネルギーの消費地である大都市部では、遊休地とはいえども地価の高さが課題となります。その一方で、中山間地では、耕作放棄地や資産価値がほとんどない山林を所有しているも

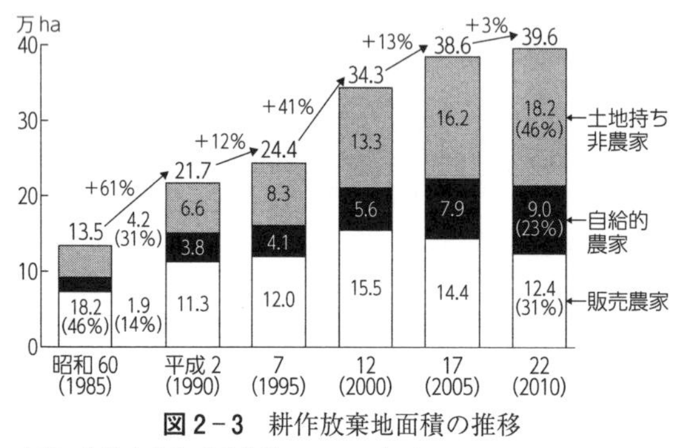

図2－3　耕作放棄地面積の推移

出所：農林水産省「農林業センサス」より

のの、活用方法が見出せずにいる人が（私を含めて）たくさんいます。

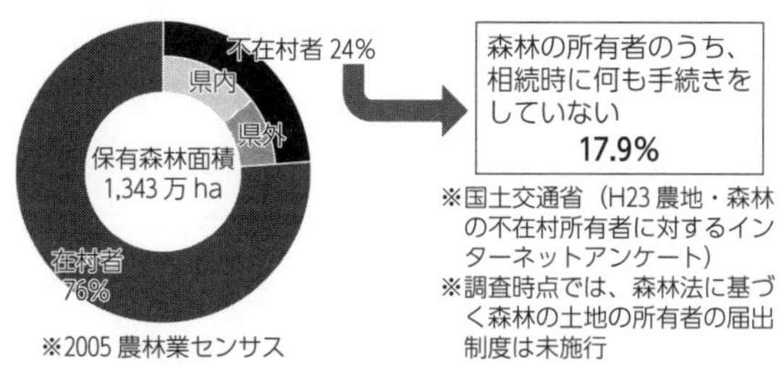

図2－4　森林所有者の不在村者の割合

出所：林野庁資料（2017年5月）より

農林水産省の調査では、耕作放棄地は年々増え続け、25年間で3倍の約40万haとなり、その約5割は非農家です（図2－3）。森林所有者の約24%は地元に住んでおらず、相続時に何の手続きもしていない者は森林所有者の17.9%を占めています（図2－4）。先祖代々の田畑や林地が「お荷物」になっている状況が伺えます。こうした事情を背景に太陽光発電所の建設が進みました。

(4) 住民の側の意識

一方、「再生可能エネルギーならいいじゃないか」という警戒心の薄さが住民運動の担い手や地方議員の側にもありました。たとえば、2013年に開催された再生可能エネルギー普及に向けた市民団体による全国的な交流集会に向けた事前の実行委員会で、私は開発前の環境配慮について話題提供を申し出ましたが、「ブレーキを踏むような報告はふさわしくない」と却下されました。アクセルを踏んでいたのは政府ばかりではありません。

また、同じ住民であっても立場によって受け止め方は様々です。私の経験では、いわゆる「旧住民」「新住民」による違いは大きいように思います。

たとえば、山林の土地所有形態は各筆がとても狭く、境界も伝え聞くのみで実のところはよくわかりません。集落によっては、それらを寄せ集めて財産区として管理し、スキー場やゴルフ場に貸して地代収入を得ているところもあります。また、そうした財産があるために、新住民の加入を認めない自治会もあります。しかし、スキー場やゴルフ場の撤退や、少子高齢化、不在地主の増加、林業不振など、山林の維持管理は困難をきわめています。そうした中で太陽光発電所や風力発電所は、再生可能エネルギーという印象の良さもあって「救世主」のように期待されました。

一方、自然環境や景観の良さに価値を見出して移住してきた「新住民」にとっては受け入れがたい事態です。太陽光発電所や風力発電所の反対運動の担い手の多くが新住民であることもこの問題の特徴です。「放置しておけば自然に戻る」「何もしないでそのままにしておいてほしい」といった類の新住民の主張は、かえって旧住民との溝を深めています。

4. 再生可能エネルギー普及は省エネを基本に

再生可能エネルギーは、自然現象を資源とするために、それらを短期間に大量に集中利用した場合には環境破壊をもたらします。

明治から戦後直後まで、日本はエネルギー源を山林（木質バイオマス）に求め、西日本を中心にはげ山が各地に存在しました。『はげ山の研究』（1956年、農林協会）を著した民俗学者の千葉徳爾（1916～2001年）は、「はじめはげ山を全く自然現象と考えていた」（まえがき）のですが、それは資源の過剰利用により荒廃した姿であることを明らかにしました。

「よく日本民族は自然を愛するという人があるが、私がはげ山研究を通じて痛感したのはこの説がいかに実情を知らない人の言葉であるかということであった。」

こうした過剰利用は阪神大水害（1938年）のような災害の原因となったと言われています。今は、放置されていることによる弊害が各方面から指摘されています。経済の力に対して、自然は弱いものです。自然資源の適正利用の原則を社会のあらゆる分野に据えることが、持続可能な社会をめざす今日の私たちに求められています。

現代のエネルギーの消費は大量消費型で、それが大都市部に集中し、生産においては植民地型で地方に依存しています。この構造をそのままにしておいて、消費レベルを維持するために、再生可能エネルギーで原子力や火力の代替をさせるのであれば、環境破壊は必然です。省エネを基本とした再生可能エネルギー利用が原則とならなくてはなりません。

コラム⑥　シミュレーション欠如が生む浪費

太陽光発電所の係争事例としてマスコミなどで全国に知られることとなり、各地の反対運動の論拠としても用いられた姫路市内での事件（平成27年（ワ）第710号及び第956号）について、私は裁判記録を4回にわたり閲覧し、現地にも行きました。

反射光について私がシミュレーションしたところ、原告宅に反射光が到達しているのは北から6～8列目のパネル列で、2月2日頃から3月5日頃の午前6時50分頃から午前8時頃であると推定されました。原告の「日の出から午後2時まで、眩しくて東側に目が向けられない」や「6～8月にかけて室内が40～50℃超の暑さとなり熱中症になった」といった主張には誇張が感じられました。

しかし、この問題の本質は、事業者（被告）が、開発に先立って近隣への反射光のシミュレーションに基づく住民との対話を行っていなかったことにあります。事前に影響を予測し、住宅地に近接するパネルの角度や向きをほんの少し補正すれば、このような事態は避けることができました。

この裁判は、係争中に事業者が一方的に発電所と原告宅の間に密度の高い植樹をしたことにより、原告が立証不可能になったことなどを理由に提訴を取下げ、終了しました。裁判で争ったことで、原告・被告双方に多大な時間や費用の浪費が生じました。

一方、マスコミは「太陽光発電所ができると熱中症になる」という誤解を広げました。公判記録は誰にでも閲覧できますが、閲覧記録も残ります。そこにマスコミ関係者を私は確認できませんでした。

姫路事例で原告宅側に設けられた植樹（破線円内）
筆者撮影（2016年9月1日）

第７章　太陽光発電

1.　太陽光発電所の特徴と環境影響

太陽光発電所は、他の発電所に比べて設置が容易なため、FIT を商機ととらえた様々な業種・業態からの参入があり、技術的な未熟さに加え、環境影響や地域社会への配慮に対する理解不足などから、多くのトラブルを引き起こしました（図２−５）。

また、日当たりが良ければどこにでも設置できますが、大きな発電量を得るには広い面積を必要とするため、中山間地がターゲットとなりました。なお、系統接続には電力会社の電線が近くにあることが望ましいので、電気が来ている人里の近くに設置される傾向があります。このため、自然環境と生

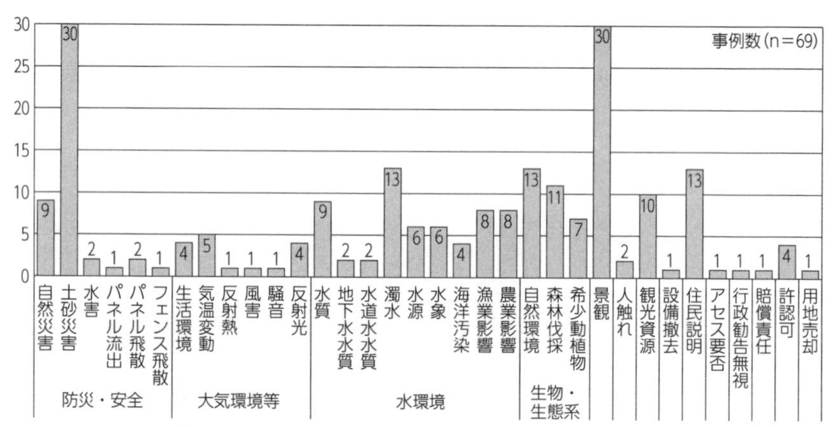

図２−５　報道からみた太陽光発電所に関する問題事例

出所：環境省「太陽光発電施設等に係る環境影響評価の基本的考え方に関する検討会報告書」（2019年３月）

注：2016年１月〜2018年７月11日の間に報道された太陽光発電所に関する問題事例の件数。主な問題点としては、①土砂災害等の自然災害、②景観への影響、③濁水の発生や水質への影響、④森林伐採等の自然破壊、⑤住民への説明不足などがあげられている。

活環境の両面から問題が発生する可能性があります（図2−6）。

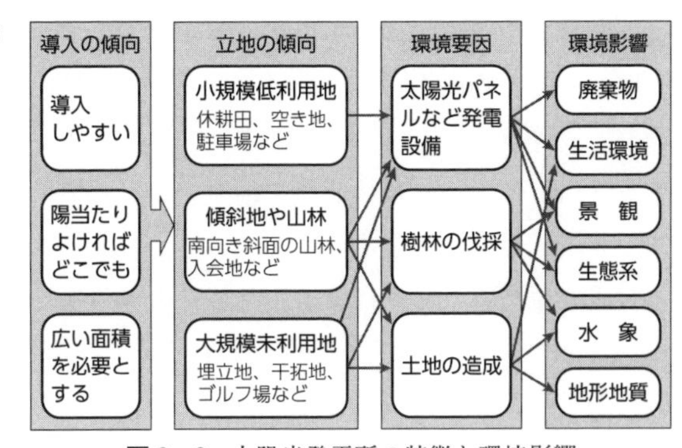

図2−6　太陽光発電所の特徴と環境影響
筆者作成

2.　立地の適切さ

(1) 小規模な発電所

1MWにみたない小規模な太陽光発電所の場合は、開発費を低く抑える観点から新たな造成を必要としない既開発地で、低未利用地となっている場所を転用するものがほとんどです。その場合、自然環境への影響は少ないものの、人の生活が近くなるため、反射光や電波障害の影響、工事に伴う騒音・振動や工事車両の安全運行などといった生活環境への影響が課題となります。

また、景観面では、街なみや美観に力を入れている地域や、観光地や別荘地、遠方の美しい景観を借景としている地域などでは、開発を避けることが賢明です。回避できない事情がある場合は、個別にシミュレーションして、影響の度合いを可視化して、地域関係者と話し合うなどの努力が必要です。

(2) 大規模な発電所

規模が大きく、河岸段丘や山の緩斜面などを利用して、樹木を伐採し切土や盛土などを造成して開発する場合は、環境面や防災面でのアセスメントが欠かせません。最大の解決策は、問題が生じそうなところを避けること（適正立地）です。

①生物多様性の確保

適正立地の判断では、生態系に与える影響を調査し、貴重な生き物の生息環境を保全し、影響を回避します。そのような場所での開発は避け、安易に不確実な代償措置（他の場所への移植など）を採用すべきではありません。

開発地の後背地に豊かな自然環境が広大にある場合は、開発地周辺地域での間伐や生き物の生息地（ハビタット）の整備などを、開発により失われる環境と同等（No Net Loss：ノー・ネット・ロス）か、それ以上（Net Gain：ネット・ゲイン）の自然価値を創造することで代償する方法（生物多様性オフセット）はありえます。

貴重な生き物だけではなく、地域における生物多様性を高めていく観点から、開発によってその地域から失われる可能性のある生き物がある場合も、地域性が強いだけに、影響が及ばないように立地を考える必要があります。

②人と自然の豊かな触れ合いの場の確保

環境基本法（1993年）は、環境保全対策の柱として（第14条)、従来からの公害対策や自然保護とともに、「人と自然の豊かな触れ合いが保たれること」を加えて、これらの有機的な連携により総合的かつ計画的に進めるとしています。しかし、「人と自然の豊かな触れ合い」をどのように地域において位置づけ、開発の影響を調査・予測・評価するのか、知見の蓄積はいまだ不十分です。

里山は、人間の働きかけを通じて環境が形成・維持されてきた地域であるため、人と自然の触れ合いがどのように影響を受けるかについては特段の配慮が必要です。レクリエーションや自然観察活動、文化活動、信仰など、地域の人々が培ってきたこだわりに耳を傾けて、影響の回避・緩和となる対策を講じることが必要です。地域の人々にとってこだわりのある場所での開発には相当の慎重さが必要です。できれば立地を避けたいものです。

③工事に伴う影響

開発規模が大きいと、工事期間中だけとは言っても、やり過ごせない問題が発生し、後遺症を事業に残すことがあります。

開発地が、住宅地や別荘地などに近い場合は、架台を打ち込むカン高い音をはじめ、掘削などの重機を使った騒音や人道、工事車両の往来などが迷惑となるので、工事内容の平準化や通学時間帯への配慮など、地元との事前協議が必要です。

自然豊かな環境に囲まれているところでは、周辺の動物が騒音をきらって他に移る可能性があります。渡り鳥のような野鳥は、周囲に代替地がない場合、工事が与える影響は深刻です。事前に、周辺地域の生態系を十分に把握しておく必要があります。

また、工事中は大雨などにより土砂が流出しやすくなります。周囲を小堤で囲って、開発地からの流出を防いだり、開発地からの排水の沈砂池を十分に確保したり、工事車両の洗浄による土埃飛散を防ぐなどの対策も必要です。

④災害対策

防災面でも、周囲への影響を配慮して、住宅地に隣接した場所や地盤が不安定な場所などは避ける必要があります。

近年は、過去に経験のないような集中豪雨が各地で発生していることから、広い面積の開発により保水力が減少し、雨水が流出することを懸念する声が出されます。都道府県が定める降雨強度式に基づく調整池の設定は、従来の10年や30年に一度の豪雨への対応ではなく、50年さらに100年強度での検討が望ましいでしょう。また、施設内でのトラブル（暴風によるパネル飛散など）が外部に及ばないように緩衝緑地を十分に確保すると、景観配慮や生き物の生息地の確保につながることもあります。

ゴルフ場跡地の太陽光発電所への転用は既開発地の適正管理の観点からは有益です。その場合も、現状の生態系の様子や既存排水施設で過去に問題はなかったかなどを把握した上で、より環境保全と防災に配慮した設備の配置や補強などの努力が望まれます。

(3) 市町村による調整機能

第1部でみたように、独自に条例や要綱を設けて、地元への説明や同意の取付けを事業者に求める市町村が増えています。しかし、多くの場合、関係自治会への説明や同意の取付けなので、自治会に入らない（入れない）新住民はカヤの外に置かれていることが往々にしてあります。様々な住民の声が考慮される仕組みが必要です。

また、あらかじめ地域特性に基づいて開発を抑制ないし誘導するガイドラインを示す市町村もあります。長野県上田市では、「太陽光発電施設の適正

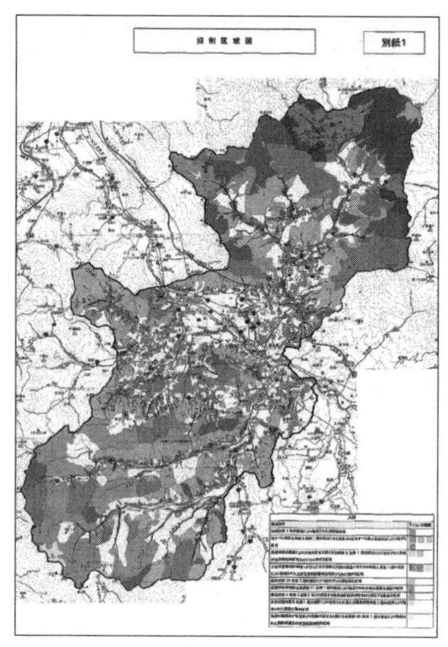

図2－7　上田市条例に基づく「抑制区域」
出所：上田市

導入ガイドライン」(2017年4月）を策定し、さらに2019年12月には「上田市太陽光発電設備の適正な設置に関する条例」を制定し、1,000m²以上かつ出力50kW以上の施設について、特に配慮が必要と認められる区域を「抑制区域」として指定しています。こうした条例やガイドラインは、事業者に「ここでやるのは難しいそうだな」と判断させる上で有効です。しかし強制力があるわけではありません。また、すでに土地買収や系統接続契約などが進み、具体化している計画に対して、後から規制することはかなり難しいと言わざるをえません。

3. 生活環境への影響

太陽光発電に伴う生活環境への影響は、①太陽光パネルからの反射光による光害、②輻射熱などによる局所的な温度上昇、③変電機器などによる電波障害、④工事に伴う騒音・振動、交通障害などがあります。発電所の立地や規模、生活の場との距離などにより、影響の現れ方は違うので、事前に予測して、地元と対策を協議することで、回避や緩和が可能です。大切なことは、説明や話し合いの場に調査予測データが示されていることです。

(1）反射光

ほとんどのパネルは南向きに一定の角度をつけて設置します。そのため、太陽光はパネルの斜度を得て以下のように反射します。

【秋分～春分】　全ての太陽光は北側の高い方向に反射。

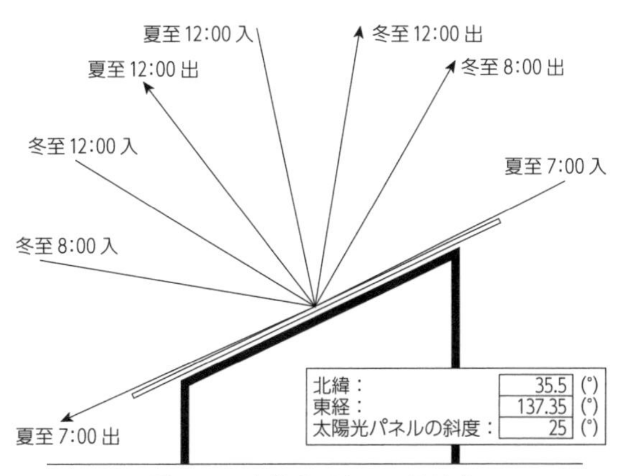

図 2－8　太陽光パネルの反射光

出所：自主簡易アセス支援サイトより

注：NPO 地域づくり工房「自主簡易アセス支援サイト」が提供する簡易診断ソフト「太陽光パネル反射光」で、緯度・経度とパネルの斜度を入力すると、夏至及び冬至における反射光の角度を簡易に確認することができる。

【春分～秋分】　東より北から昇った太陽と、西より北に沈む太陽の光は、その仰角が、パネル斜度より低い場合は南側の水平より低い方向に反射し、パネル斜度より高い場合は南側の水平より高い方向に反射（図 2－8）。

前者では、発電所の北側に背の高いマンションなどがある場合に影響が生じます。また、飛行場に近い場合は着陸する飛行機の進入経路への配慮が必要です。後者では、屋根の上に置いてあるパネルからの反射光が近隣に及ぶことがあります。また、降雪地域ではパネルの斜度があるため北端が高い位置になり、隣接する道路を往来する自動車の運転手の視界に反射光が差し込む可能性があります。いずれの場合にも、事前にシミュレーションをして、パネルの向きや角度を調整します。

(2) 熱

太陽光発電が周囲に熱の影響を与える可能性は 3 通りあります（図 2－9）。いずれも住宅などとの間に十分な距離を保つことで影響は緩和されます。

【輻射】　反射光により照射された場所に熱が発生するものです。その場所が室内であると室温を上昇させる可能性があります。

【顕熱】　太陽の照射でパネルの表面に熱が発生するものです。独立行政法人産業技術総合研究所などのシミュレーションは、パネルを大規模に導入した場合の気温への影響は 0.1% 以下であると報告しています。また、日本工業大学の調査では、ビルの屋上を、何もしない、3 種類の緑化（芝、セダム、

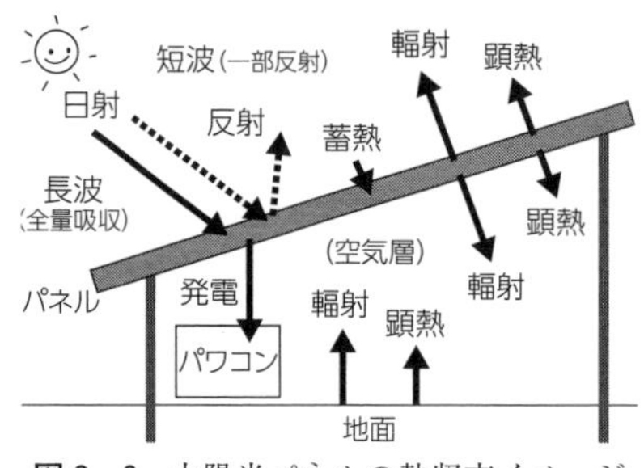

図２－９　太陽光パネルの熱収支イメージ
筆者作成

コケ）、パネル設置の５ケースを比較したところ、パネルが最も顕熱が少ないことを報告しています。パネルは太陽光エネルギーの約 15% を吸収するので、アスファルトなどの照り返しとは性格が異なります。

【放熱】　パワーコンディショナー（パワコン）で、直流で発生した電気を交流に変換する際に熱が生じます。その際、「ジー」といういわゆるモスキート（蚊）音が発生します。いずれも発電している昼間のみの現象です。発電量が大きく、狭隘な場所に大量のパワコンが設置された場合には、熱がこもったり、音が反響したりして、近隣に不快感を与えます。

(3) 電波障害

太陽光発電所から発生する磁界には、パネルからパワコンまでの直流電流による直流磁界（静磁界）と、パワコンからの交流電流による交流磁界とがあります。どちらも距離が離れるほど磁界の強さは小さくなります。電磁界情報センターの実証実験によると、かなり大規模な太陽光発電所でも、国際非電離放射線防護委員会「磁界ばく露の制限に関するガイドライン」による一般環境での影響が問題となるケースは少ないようです。

また、旧型または整備不良のパワコンでは、AM ラジオ聴取に影響を与えることがあります。私の経験では、粗雑な工法で建てられた太陽光発電所の周囲では、必ずといっていいほど、自動車ラジオの AM 波が乱れて、聴き取れなくなります。

(4) 工事

太陽光発電所の建設工事については、既述のように、土地造成が伴うかどうかで影響は大きく変わります。土地造成のない場合も、架台を打ち込むカン高い騒音や工事車両の往来による影響などがあります。工事内容の平準化や通学時間帯への配慮、遮音シートの設置など、地元とよく話し合った上での対策が必要です。

4. 景観

太陽光発電所の建設に伴う景観への影響は大きく分けて3種類あります。①生活の場に近接して見慣れた景色を改変、②中山間地を大規模に造成して地域の景観を改変、③歴史的・文化的資源と近接してもたらす違和感などです。景観の場合、個々人の価値観が大きく作用するため、客観的な評価が難しく、対策に悩むところです。既述のように、トラブルを未然に防ぐ上では、適切な立地判断ができるように、自治体が誘導することが大切です。

(1) 可視化技術の利用

事業の計画段階で、景観変化の程度をイメージできるようにすることで防ぐことのできるトラブルも少なくありません。

近年は可視化技術が飛躍的に進歩し、汎用性が高まっています。本会の自主簡易アセスでは、3D-VR（三次元仮想現実）シミュレーターにより、任意の場所から整備イメージを見ることができるようにして、説明会などで「自宅の2階からどう見えるのか」という質問にも応じられるようにしています。また、WEBサイト上にも動画で公開し、意見を求めています（図2-10）。「見え方が実際と違っていたらどうしてくれるんだ」という批判もあるかもしれませんが、平面図や立面図、モンタージュ写真などで説明することに比べたら、説明責任に努めていると受けとめられています。

図2－10　V.R. シミュレーション動画
出所：自主簡易アセス支援サイト（NPO 地域づくり工房）

住宅地からみた発電所の植栽
筆者撮影

(2) 近景への影響への対策

生活の場に近接して見慣れた景色を改変する場合は、比較的に小規模な発電所でも近隣とのトラブルになることがあります。事前に可視化してイメージを共有し、どのようにすれば変化を緩和し、許容範囲に近づけることができるか、関係者間の対話が必要です。

対策例としては近接部分での緩衝緑地の確保やパネル角度の調整などがあります。本会が自主簡易アセスを担った山梨県内の事例では、「絶対私たちの視界に入らないように」と主張する隣接民家に苦慮しました。対策として、当該民家側に100年に１回の降雨強度で設計した調整池を寄せて、民家側に余地を確保し、低・中・高木を配置しました。写真は完成半年後に事後調査をした際のものです。この先にメガソーラーがあるとは思えません。たんに植栽を施すのではなく、対策の重点を意識したデザインが必要です。

(3) 中山間地のメガソーラーによる景観変化

中山間地では、林地や休耕田などを有効利用したい土地所有者側の事情もあって、大規模に、または虫食い状にメガソーラーが広がり、景観を一変させています。これらは、地域社会との対話が不十分なまま開発されていることが少なくありません。とりわけ、傾斜地などを利用して建設された場合は、災害面はもとより、景観上も目立つため、問題となっています。

一方、人目につかない元グランドなどの遊休地に設置する計画に対しても、「太陽光はダメ」というアレルギー反応的な反対の声が出されている事例も少なくありません。

事案に即した議論ができる場を設けることが必要です。市町村には、規模の大小にかかわらず、開発の動向を踏まえて、地域との対話を促す役割が求められます。

(4) 歴史的・文化的な景観への影響

本会が自主簡易アセスで関わった長野県内の２つの事例では有名な宗教施設の存在との兼ね合いが問題となりました。

テニスコートを発電所に整備する計画では、神社への参道に面していることなどから反対の声が出されました。雨水の流出防止を兼ねた修景案（図２−11）を選択肢に対話を試みましたが、計画は中断したままです。

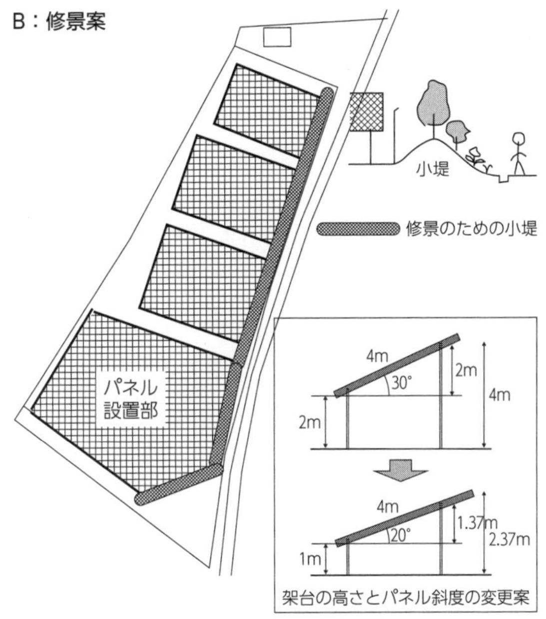

図２−11　修景案

出所：NPO 地域づくり工房作成

ゴルフ場跡地に発電所を整備する計画では、開発地が周囲を山に囲まれて、周囲の集落や神社、ご神体である山から見えないことを具体的に示しましたが、「信仰の地にふさわしくない」と強い反対が寄せられました。

既開発地を放置しておくことが景観保全として適切なのかなど、こうした開発計画の機会に地域づくりのあり方を真摯に議論したいところですが、難しい現状があります。

(5) 持続可能な社会へのデザイン

太陽光発電所は、FIT 後に一気に広がったため、アレルギー的な反応も地域では起きています。すでに整備された発電所も含め、地域の「持続可能な社会」の景観として定着しうるように、開発者をはじめ関係者の努力が求められます。これまでに紹介したような太陽光パネルの設置の方角や角度の調整、発電所周囲への植栽などに加え、パネルや架台そのもののデザイン（形状や色彩、輝度などの工夫）、整備方法の革新（壁面や窓ガラスへの設置など）により、太陽光発電が生活の中に調和できる方策が蓄積されるように研究が進むことを期待します。

5. 太陽光発電の廃棄物問題

FITの導入は、原子力発電所政策と同様に、将来の廃棄物対策を不備のままにして進められました。環境省の推計（2018年）は、太陽光発電設備の年間排出量のピークは2035～37年頃で、年間約17～28万トン程度、産業廃棄物の最終処分量の3%近くになると見込んでいます（図2－12）。

(1) 廃棄費用の積立制度

FIT制定から5年後の2017年、経済産業省は「事業計画策定ガイドライン」を策定し、事業者に廃棄費用の積立てと積立て状況の報告を義務付けました。そして、積立てを担保する制度を2022年7月までに施行する方針です。また、市町村においても条例やガイドラインなどで、廃棄費用の積立てを事業者に求める規定を設けているところもあります。

一方、発電効率を高める必要もあって、太陽光パネルのリユース（再利用）やリサイクル（再資源化）の技術とそれを活用したサービスも急速に広がりつつあります。

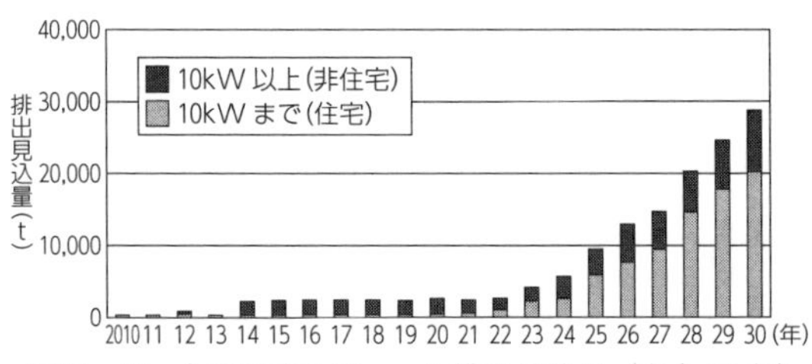

図2－12　太陽電池モジュール排出見込量（寿命25年）

出所：環境省「太陽光発電設備のリサイクル等の推進に向けたガイドライン（第一版）」(2016年3月)

しかし、体力のある事業者であれば費用積立てやリユース・リサイクルへの対応はできるとしても、小規模な事業者が対応できずに不法投棄などにつながる可能性もあります。

東京商工リサーチの「太陽光関連事業者倒産状況」によれば、2016年は太陽光発電事業者の倒産が過去最高を記録したものの、経済産業省が調査した12県市の廃棄物担当部局によると、不法投棄事例は確認されていないとのことで、事業者が倒産しても他の事業者が太陽光パネル等を買い取ることがその要因と見られています。廃棄費用の財源確保とともに、適正な処理ルールの確立が急がれます。また、発電所が立地する自治体や住民による監視体制を整えていく必要があります。

(2) 太陽光発電設備の有害物質

太陽光パネルには、結晶系と化学物系とがあり、前者が全体の9割余を占めています。

結晶系では結合部のハンダに鉛が含まれますが、その量は多くなく、露出していないため、他の一般工作物同様、適正な管理下にあれば外部の環境に溶出することは考えられません。

化学物系では、銅（Cupper）・インジウム（Indium）・ガリウム（Gallium）・セレン（Selenium）が使われており、CIGS系とも言われています。これら化学物質には毒性もあり、ガリウムのように体温でも融けるような流動性の高いものも含んでいます。かつてはカドニウムやヒ素といったさらに毒性の高いものが使われていました。これらは、初期に多用されたため、早い段階で廃棄処理に出される可能性があり、早急な対策が必要です。

自治体や住民は、どんなパネルが使われているかを把握し、対策を知ることが大切です。

(3) 風水害による破損

近年、暴風雨により、太陽光発電施設のパネル等が破損して近隣に飛散するなどの事件が起きていることから、安全性が問われています。

不安を広めるきっかけとなったのが、群馬県伊勢崎市で発生した激しい突風により、完成したばかりの太陽光パネル約600枚が飛散した事件です（2015年6月15日）。総発電量約240kWのうち約6割が被害を受けました。現地調査報告によると、パネルの単管架台への固定には、ネジ止めでなく、勘合式（引っ掛け）を使っていたため、強風で架台が歪むとパネルが外れやすい工法でした。また、杭基礎の埋め込みは80～100cmしかなく、盛土が70～80cmの地盤であったため、強風に耐えられず「根こそぎ」パネルと単管が吹き飛ばされました。粗雑な工法が原因でした（日経BPクリーンテック研究所、2015年11月26日配信）。

2019年9月の台風15号では、日本最大の水上発電所である山倉ダム発電所（千葉県佐倉市、約13MW）の約8割のパネルが損傷しました。アンカーの強度不足やフロートへの注水がなかったことなどにより、応力集中によりパネルが係留から外れて、パネルどうしがぶつかって火災も発生しました。前年の2つの大型台風での教訓が生かされていなかったとも報じられています（ダイヤモンド編集部、2019年12月4日配信）。

FIT施行後、「雨後の筍」のように太陽光発電所が建設されましたが、設置基準や安全対策が十分に確立されていない中で、不適切な立地や粗雑な工法により設置された施設が林立し、それらが各地でトラブルを引き起こしました。現在では、政府や業界団体により設置基準や工法が厳格に定められています。教訓の蓄積もされているはずですから、それに基づく点検、再整備が必要になっています。

前出の山倉発電所の例では、稼働の約1年前の2017年2月に、千葉県議会総合企画水道常任委員会が現地調査を行っています。議員6名に行政職7名が随行し、現地滞在時間30分でした。質疑では、「水面を見るとまだパネルを設置できる余裕がありそうだが」「日本製ではなくフランス製のフロートを使用しているのはなぜか」などの質問が記録されていましたが、強風などの防災対策に関するものはありませんでした。議会での視察では、専門家を同行させて、認識を深めた上で、対策を考えてほしいものです。

コラム⑦　新興住宅地での太陽光発電設備をめぐる苦悩

大都市圏郊外の第一種低層住居専用地域に購入したものの、事情があって長年放置されてきた住宅用地があります。地主はここに20kWの太陽光発電設備を計画しました。しかし、自治会の猛反対を受け、周囲には「野立て式産業用太陽光発電所絶対反対」の立て看板が数カ所に設置されていて、異様な雰囲気でした。

前提となる第一種低層住居専用地域での野立て式太陽光発電設備については、国土交通省が2011年3月に「建築確認手続き等の運用改善」についての解説で、これを認める見解を示しています。都市計画権者の府担当課に問い合せても「反対される理由がわからない」という返事でした。

また、太陽光パネルからの反射についても、周囲の建物に住む人たちや隣接する道路を通行する車や人に影響を与える可能性はないことが確認できました。そのような調査結果を記して地主に提供しましたが、自治会は住民の9割近い反対署名を集めて、決して認めない姿勢を固持しました。

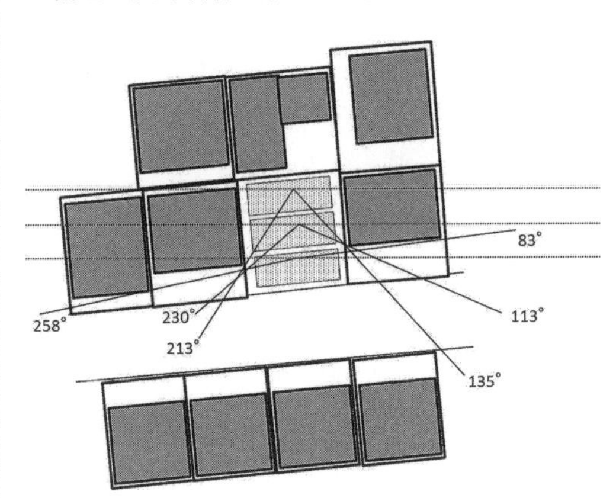

図2－13　南側住宅に反射光が及ぶ範囲の予測
筆者作成

良好な住宅街の雰囲気を守りたい気持ちも十分に理解できます。一方で、この地区でもかなりの不在地主による空き地や空き家が発生しています。人口減少や高齢化が急速に進む中で、土地利用のあり方について、冷静な議論ができればいいのにと思います。

第8章　風力発電

風力発電所は十分な開発余地があると目されています。第5次エネルギー基本計画（2018年）が示す2030年の電力構成に対する進捗率が太陽光と水力は約9割なのに対して、風力は約4割であるとされています。そこで、菅義偉政権は、2050年カーボンニュートラルの方針の下、大型風力発電の普及を図るための規制緩和を進めようとしています。

1. 急速に広まる大型風力発電所

(1) 全国での導入状況

大型風力発電所の全国における導入状況（表2−3）をみると、地域別には、東北・北海道などの外洋に面したところが多く、内陸地（長野県・山梨県・埼玉県）や瀬戸内（大阪府・岡山県・広島県・香川県）は0件です。

国の環境影響評価法は2011年に大型風力発電を対象事業に追加しました。国の対象規模は第1種事業が10,000kW以上で、第2種事業（手続きが必要かどうかを個別に判断）が7,500kW以上となっています。環境影響評価手続きには少なくとも2年以上を要するので、法制化の数年間は足踏み状態となりましたが、その後再び勢いを増しています（図2−14)。環境影響評価法に基づく手続きの実施状況をみると（表2−4)、2019年以降の3年間で111件にのぼり、全開発案件の9割余となっています。

(2) 洋上風力発電の加速

今後の開発が進むと見込まれているのが洋上風力です。陸上風力においては適地が限定され、環境面や地域社会との協議など制約が多いことが理由で

表2－3　日本における地域別風力発電導入量

地域	都道府県＼導入量	設備容量 kW	設備容量 順位	基数	1基当り発電量
北海道	北海道	358,745	3	304	1,180.1
東北	青森県	417,463	1	253	1,650.1
東北	岩手県	92,380	15	72	1,283.1
東北	宮城県	7,480	32	4	1,870.0
東北	秋田県	370,934	2	210	1,766.4
東北	山形県	61,230	19	35	1,749.4
東北	福島県	183,585	5	96	1,912.3
東北	（小計）	1,133,072		670	1,691.2
関東	茨城県	111,570	11	64	1,743.3
関東	栃木県	840	38	7	120.0
関東	群馬県	340	39	2	170.0
関東	埼玉県	0	41	0	0.0
関東	千葉県	69,950	16	49	1,427.6
関東	東京都	4,800	33	6	800.0
関東	神奈川県	4,770	34	4	1,192.5
関東	（小計）	192,270		132	1,456.6
北陸	新潟県	26,715	26	20	1,335.8
北陸	富山県	3,300	35	4	825.0
北陸	石川県	124,500	9	71	1,753.5
北陸	福井県	28,000	25	14	2,000.0
北陸	（小計）	182,515		109	1,674.4
中部	山梨県	0	41	0	0.0
中部	長野県	0	41	0	0.0
中部	岐阜県	9,200	30	13	707.7
中部	（小計）	9,200		13	707.7
東海	静岡県	158,330	8	92	1,721.0
東海	愛知県	64,710	18	41	1,578.3
東海	三重県	180,300	6	106	1,700.9
東海	（小計）	403,340		239	1,687.6
関西	滋賀県	1,500	37	1	1,500.0
関西	京都府	2,250	36	3	750.0
関西	大阪府	0	41	0	0.0
関西	兵庫県	55,310	21	29	1,907.2
関西	奈良県	60	40	3	20.0
関西	和歌山県	94,930	14	65	1,460.5
関西	（小計）	154,050		101	1,525.2
中国	鳥取県	59,100	20	41	1,441.5
中国	島根県	178,140	7	85	2,095.8
中国	岡山県	0	41	0	0.0
中国	広島県	0	41	0	0.0
中国	山口県	113,450	10	55	2,062.7
中国	（小計）	350,690		181	1,937.5
四国	徳島県	19,500	28	15	1,300.0
四国	香川県	0	41	0	0.0
四国	愛媛県	96,200	13	70	1,374.3
四国	高知県	68,900	17	49	1,406.1
四国	（小計）	184,600		134	1,377.6
九州／沖縄	福岡県	32,705	23	30	1,090.2
九州／沖縄	佐賀県	46,675	22	32	1,458.6
九州／沖縄	長崎県	109,860	12	78	1,408.5
九州／沖縄	熊本県	28,950	24	22	1,315.9
九州／沖縄	大分県	11,490	30	13	883.8
九州／沖縄	宮崎県	16,000	29	8	2,000.0
九州／沖縄	鹿児島県	263,005	4	157	1,675.2
九州／沖縄	沖縄県	25,620	27	30	854.0
九州／沖縄	（小計）	534,305		370	1,444.1
合計		3,502,787		2,253	1,554.7

出所：国立研究開発法人新エネルギー・産業技術総合開発機構資料（2018年3月末時点）より筆者作成

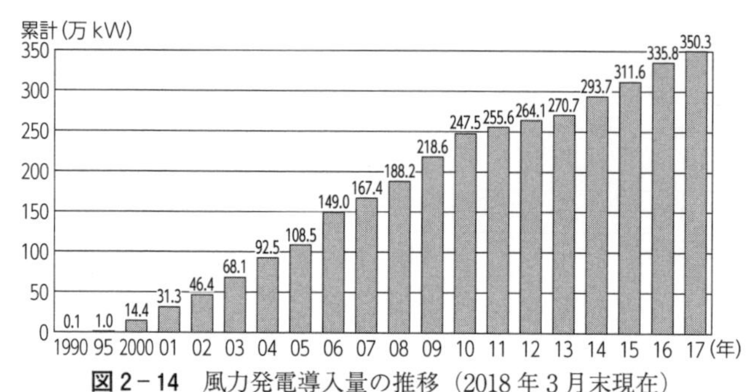

図２−14　風力発電導入量の推移（2018年３月末現在）

出所：（一財）日本原子力文化財団「原子力・エネルギー図面集」より

表２−４　環境影響評価法に基づく手続きの実施状況（2011年１月〜2021年１月）

事業種 手続き	計	その他の事業	再生可能エネルギー発電事業					
			（小計）	風力			太陽光	地熱
				（小計）	陸上	洋上		
配慮書	96	6	90	89	57	32	1	0
方法書	176	10	166	159	146	13	6	1
2019年〜	123	5	118	111	103	8	6	1
準備書	52	4	48	46	40	6	1	1
評価書	148	73	75	70	65	5	1	4
報告書	11	1	10	10	10	0	0	0

出所：環境省「環境影響評価情報支援ネットワーク」より検索（2021年２月11日現在、筆者作成）

す。欧米や中国などに比べ、国土が狭い日本においては周囲の海に可能性を見出しています。

洋上での開発には、海域の占用に関するルールの確立、漁業や船舶運航事業者との利害調整などが必要となるため、政府は「海洋再生可能エネルギー発電設備の整備に係る海域の利用の促進に関する法律（再エネ海域利用法）」（2019年４月施行）によって課題を整理し、技術開発や事業環境の整備（促進区域の指定や基地港湾の適正配置など）、投資の誘発などで促進していくこととしています。

2. 風力発電の環境問題

大型の風力発電は、上空の強い風を受けるように、陸上型では高さ100m（約30階建ビル）、ブレード（羽）の幅はジャンボジェットの両翼（約75m）と同じくらいあります。洋上型は高さ180mを超えるものもあります。そのため環境影響も少なくなりません（表2－5）。具体的な影響は、出力や基数、高さ、立地などによって違います。規模が小さいものも、生活に近いところに建てられる傾向があるので、適切な事前配慮が必要です。

東京工業大学大学院（村山武彦教授他）の論文「風力発電事業の計画段階における環境紛争の発生要因」（2014年）によると、1999年から2012年の間に計画された155件の風力発電では、紛争なく稼働できたものは96件で、30件（約2割）は中止ないし凍結と、少なからぬ地域社会からの反発があることがわかります（図2－15）。

表2－5　風力発電設備に伴う環境影響

環境影響	要　因	備　考
騒音・低周波	単機の出力、基数、生活の場からの距離	環境省調査（2010年）では調査対象389件中64件で苦情が出されていた。1km以上離れた場所でも苦情の例が知られている。
シャドーフリッカー	基数、風車の高さ、生活の場からの距離	晴天時にブレードの影が回転して地上部に明暗が生じる現象。住宅や田畑での作業時にシャドーフリッカーの範囲に入っていると、影の明暗により人に不快感を与えることがある。
景観	基数、風車の高さ、土地改変面積、生活の場との距離、景観資源等との位置関係	稜線や高原、海岸などに建てられることが多く、景観を損ねやすい。住宅から数100mの場所では圧迫感を与える。
生態系、バードストライク	土地改変面積、ブレードの回転範囲の面積、風車の高さ、風車間の距離	バードストライクは鳥類が人工構造物に衝突する事故。風の通り道を利用するので渡り鳥が犠牲になることが多い。

筆者作成

紛争の論点としては、野鳥（60％）が最も多く、次いで騒音・低周波（48％）、自然（34％）、景観（33％）、災害・水質（29％）、その他（4％）で、シャドーフリッカーはありませんでした。

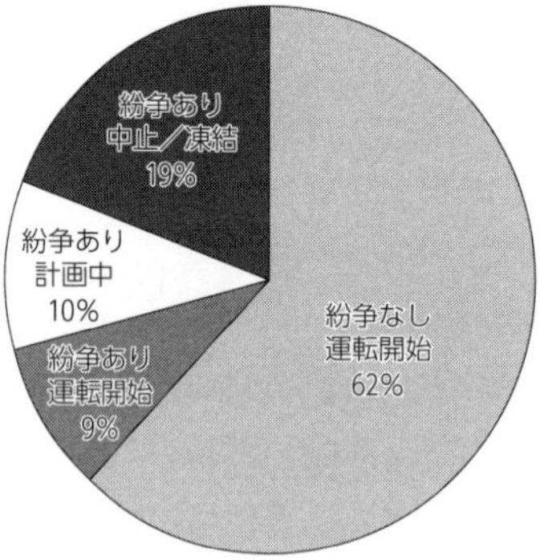

図2－15　風力発電に係る環境紛争の発生状況（n＝155）

出所：村山他（2014）

「野鳥」の種類としては、クマタカ（63％）が最も多く、サシバ・ハチクマ・ノスリ（26％）、イヌワシ（23％）、その他猛禽類（29％）、その他・鳥類全般（14％）の割合となっていました。

洋上風力の場合は、近隣住民への影響は回避されますが、特有の環境影響もあります（表2－6）。バードストライクは陸上同様に問題となりますが、陸上と違って死骸の確認が難しいため調査や予測が難しいと

表2－6　洋上風力発電に伴って想定される環境影響

<table>
<tr><th>区　分</th><th>要　因</th><th>要　素</th><th>想定される影響</th></tr>
<tr><td rowspan="4">工事の実施</td><td rowspan="2">建設機械の稼働</td><td>水中音・振動</td><td>海生哺乳類・爬虫類・魚類、底生生物などの減少</td></tr>
<tr><td rowspan="2">水質汚濁</td><td rowspan="2">海生生物、底生生物、潮間帯生物、海藻草類、藻場・干潟・サンゴ礁の減少</td></tr>
<tr><td>造成などの施工</td></tr>
<tr><td>資材運搬
（車両・船舶）</td><td>大気汚染
騒音・振動</td><td>基地港周辺での工事車両や船舶からの排ガス
基地港に往来する沿道での工事車両の騒音・振動</td></tr>
<tr><td rowspan="6">工作物等の存在・稼働</td><td rowspan="4">地形改変、施設の存在</td><td>景観</td><td>海上に並ぶ風車群がもたらす違和感</td></tr>
<tr><td>海流</td><td rowspan="2">海生生物、底生生物、潮間帯生物、海藻草類、藻場・干潟・サンゴ礁の減少、変化</td></tr>
<tr><td>地形・地質</td></tr>
<tr><td>風車</td><td rowspan="2">海生生物、底生生物、鳥類・コウモリ類の減少</td></tr>
<tr><td rowspan="2">施設の稼働</td><td>水中音・振動</td></tr>
<tr><td>風車</td><td>バードストライク</td></tr>
</table>

筆者作成

いわれています。また、工事や風車の稼働に伴う水中音は広く伝播するため、海の生き物の中でも聴覚が発達したものへの影響が考えられます。日本では本格的な導入はこれからであるため環境影響に関する知見は少なく、これからの研究が待たれます。

3. 長野県での動向

長野県内でも2000年代初めに各地で開発計画が動き出しました。そのひとつである伊那市の入笠山〜鹿嶺高原一帯の尾根伝い11kmに風車約30基を設置し、3万kWを発電する計画の事業者は、県環境影響評価条例改正の施行（2007年10月）の直前、自主的な環境影響評価（自主アセス）を行うとして、同8月13日に方法書（調査予測評価のやり方を書いた図書）の縦覧と意見募集を始めました。

当時、筆者も意見書を提出しました。同計画は、南アルプスの前山の景観に支障を与えるとともに、大型風車や工事用道路の設置などによる土地の改変で生態系への影響が懸念されました。住民団体による反対運動も展開されました。

こうした中、2009年2月、村井仁知事（当時）は第二次環境基本計画の説明において、県内での風力発電所の「設置は不可能と思う」と発言し、議会でも表明しました（表2−7）。以後、県内での大型風力発電計画は停滞し、今日も設置0件となっています。

しかし2020年7月、長和町と立科町にまたがる山林内（約6,400ha）に、最大で高さ152m余の大型風力発電16基を建設する計画について、環境影響評価法に基づく計画段階配慮書の手続きが開始されました。配慮書は、開発の位置や規模を検討する計画段階で実施されるもので、地域環境の概況などを文献調査し、より環境影響の少ない整備方法を検討することに狙いがあります。

この法手続きは、地元自治体には唐突な形で実施されたために反発を招き、縦覧期間の途中で、事業者により「住民の理解を得た上で事業を進めるのが

表2−7　村井知事発言

村井知事：（前略）風力というのは確かにクリーンエネルギーでありまして、それを利用した発電というのは地球温暖化防止には有用であることは間違いないと思います。 しかし、内陸部で発電に必要な風力が得られる場所というのは、一般に貴重な自然と景観を有する山岳の稜線を含む地域と重なり合っているかと思います。こうした場所に大型の風力発電所を設置する場合には、基礎としての巨大なコンクリート構造物や、それからそれをつくるための工事に必要な搬入道路の建設などによりまして、自然に対しまして結果的に大きな負荷を与えることになると思います。 また、風車への鳥などのバードストライクと呼ばれる衝突、これによる生態系への影響、希少野生動物の生息、生育地への影響、さらにはすぐれた景観への影響というところも懸念されることから、慎重な判断が必要と考えております。 昨年度、長野県環境影響評価条例を改正いたしまして、一定規模以上の風力発電所の建設を対象事業として追加したところでございますので、その手続の中で知事意見を申し上げる場合にはこうした点を十分考慮してまいりたいと存じます。 52番（島田基正君）：信州の自然と景観を守る英断だと思います。

出所：長野県議会 2009年2月

基本」として説明不足を認めて、計画の取りやめが表明されました（2020年8月11日）。この案件は、県の方針があっても、あえて開発する動きがあることを浮き彫りにしました。

4.　アセスメント外しの動き

2050年カーボンニュートラルの方針を受けて、河野太郎規制改革担当大臣は大型風力発電を進めるために環境影響評価法の規模要件の緩和を指示しました。現在、10,000kW以上が対象となっていますが、昨年12月の内閣府タスクフォース会合で河野大臣は欧米のように50,000kW以上にするように環境省に強く求めました。

欧米の大地広がる国土と日本の狭い国土とを同列に論じるのは乱暴です。しぶる環境省に対して、河野大臣は「スピード感がないなら所管官庁を変える」と、年度内に結論を出すようにと、恐喝するかのように求めています。

5. 自治体の役割

表2−3が示すように、全国の大型風力発電の一基あたり平均出力は1,500 kW余で、環境影響評価法や条例の対象とならないものが多数を占めています。むしろ、規模の大小にかかわらず、環境や地域社会との調整を促す制度の充実が必要です。

もし、国において規制緩和が強行された場合には、自治体の環境影響評価条例の見直しも求められる可能性があります。

また、第1部で紹介したように、長野県内で再生可能エネルギー対策の条例や要綱等を持つ60市町村のうち、風力発電を対象にしているのは25市町村にとどまっています。自治体での対策が後追いにならないように準備する必要があるかもしれません。

なお、(一社) 日本風力発電協会は「小規模風力発電事業のための環境アセスメントガイドブック Ver.2」(2020年11月) を刊行し、事業者に自主アセスを推奨しています。実際に地元で計画が動き出した場合には、これを参考に事業者の積極的な対応を引き出すことが自治体に求められることになります。

コラム⑧　地図に登場した風車記号

日本では、古くから水車が動力の主力だったので、風車は見かけませんでした。2000年代から急速に導入が進み、各地で見かけるようになりました。そうした中、2006年6月1日刊行の1/25,000地形図から風車記号が使用されています（図2－16）。

国土地理院は、「風車」と「老人ホーム」の新しい地図記号を全国の小学生・中学生から募集し、選ばれたデザインをもとに作成しました。国土地理院が地図記号を外部からデザインを募集して作るのは初めてのことでした。風車の応募は61,044点あり、3枚羽根（34.2%）と4枚羽根（32.9%）が多数を占め、「一見して連想されること」「地図上で読み取りやすいこと」「描きやすいこと」を要点に、検討委員会（森田喬・法政大学工学部教授）により検討し、国土地理院で形を整えて決定しました。

風車記号が適用されるものは、発電を目的に構築され、特に高くそびえた好目標となるもので、表示対象数は約1,100基（2005年10月末時点）です。

参照：亀井福次「公募デザインによる国土地理院の新しい地図記号について」（『国土地理院時報』110集、2006年）

図2－16　東京湾の風車記号
出所：国土地理院地図より筆者作成

第９章　バイオマス発電

バイオマス発電も、風力発電と同様に、開発余地が見込まれている分野です。バイオマス資源は、廃棄物や未活用物、または資源作物などを再利用するものですが、その種類（木質系、農林水産系、食品残さ、汚泥など）も、利用形態（発電、熱、燃料）も多様です。そのため、これの利用に伴う環境問題も多岐にわたります。とりわけ、資源の調達を国外に依存している場合は、国境を越えた環境問題にもつながっています。

1. 資源の特徴

バイオマスには、建築廃材や家畜排泄物、製紙の黒液、下水汚泥など、有害な物質が含まれている可能性があるものも含まれています。これらは人間の活動がある限り排出され続けるものですが、それらを各地から収集・運搬して、保管し、燃焼や生成に利用した後の残さの処理まで、多くの手間と経費を要します。その上、各過程での環境への負荷が生じます。特に、燃焼や生成で派生する副産物は原料によって違います。つまり、バイオマスという用語でひとくくりにすることはできない複雑さがあります。

たとえば、森林から間伐材を切り出して、発電のために燃焼させる場合も、規模を大きくして発電効率をあげるためには各地から収集し、輸送する必要があります。燃焼そのものはカーボンニュートラルですが、近隣への煙の影響はもとより、福島第一原発の風下にあった地域ではセシウムなどの放射性物質が木材残留している可能性があり、焼却灰にはそれらが濃縮されます。同じ木質系であっても、建設廃材の場合は、塗料などの化学物質によっては燃焼により有害な物質を排出する可能性もあります（表２−８)。

表２−８　木質バイオマス発電のプロセスと環境影響

区　分	プロセス	想定される影響
原料調達	伐採、間伐 収集、重機運搬 輸送 保管 粉砕	過剰伐採による生態系破壊、CO_2吸収量の減少など 周囲（動物を含む）への騒音・振動、大気汚染など 沿道の大気汚染、飛散、騒音・振動、交通安全など 害虫発生、異臭、安全など 騒音・振動など
再 利 用	発電用の燃焼	煤塵、悪臭、騒音など
残さ処理	輸送 中間処理	沿道の大気汚染、飛散、騒音・振動、交通安全など 放射性物質の濃縮など

筆者作成

2. 国境を超える問題

(1) 輸入依存

バイオマス発電の中でも未利用木質（森林からの伐採または間伐に由来するもの）を利用したものは、FIT認定数に比べて実際の稼働状況は少なく、経営上の困難が伺えます（表２−９)。

その背景には林業分野での人手不足があります。設備を稼働させた場合も、

表２−９　バイオマス発電におけるFIT認定と稼働状況（新規、2019年12月末時点）

	メタン発酵	未利用木質		一般木材	リサイクル木材	廃棄物	合　計
		2000kW未満	2000kW以上				
稼働件数	182	30	40	56	5	98	411
稼働割合	82.3%	38.0%	83.3%	29.2%	100.0%	83.8%	62.1%
認定件数	221	79	48	192	5	117	662
稼働容量kW	62,645	21,137	364,287	1,290,655	85,690	289,336	2,113,750
認定容量kW	85,332	65,269	435,887	7,471,408	85,690	391,590	8,535,176

出所：資源エネルギー庁ホームページより筆者作成

経営効率を高めるためには、安定的に調達できる国外からの輸入に頼らざるをえなくなります。

さらに、2017年に木質系バイオマス発電の買取価格が引き下げられ、その後入札制へ移行したことから、駆け込みで認定を受けた案件が稼働しつつあります。これらの発電所では、原料の多くを国外に頼っているため、燃料となる木質ペレットやアブラヤシ核殻（PKS：Palm Kernel Shell）の輸入が急増しています（図2－17）。

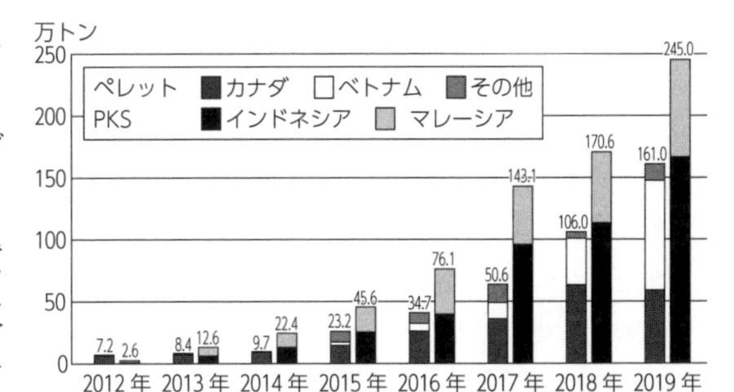

図2－17　PKS及び木質ペレット輸入量の推移

出所：『バイオマス白書2020』（特定非営利活動法人バイオマス産業社会ネットワーク）

(2) 現地での環境破壊

こうした中で、国外における森林伐採や油脂植物の栽培が現地における環境破壊をもたらしています。

2020年12月3日、環境NGOは「大規模な燃料輸入を伴うバイオマス発電は中止すべき」とする共同声明を発信しました。それによると、カナダでは、木質ペレット生産のための森林伐採がトナカイの生息地や先住民族にも影響を与えていることや、輸出用に丸太も使われて湿地林などにも伐採が広がっていることなどを紹介しています。また、森林の減少・劣化によるCO_2吸収量の減少や、輸送距離の長さに由来する温室効果ガスの排出などにより、けっしてカーボンニュートラルとはならないことを指摘しています。

輸入原料に依存したバイオマスエネルギーの利用がもたらす国外での環境問題や人権問題については、第13章でふれます。

コラム⑨　地産地消型バイオ軽油の苦悩

菜の花プロジェクトは「地域自立の資源循環サイクル」をめざすもので、滋賀県愛東町（現東近江市）から始まり、国外を含め、各地に広がる取組みです（図2－18）。NPO地域づくり工房では、発足時（2002年10月）から半年間の「仕事おこしワークショップ」の成果により、この取組みを参考に、①元スキー場で栽培した菜種のヴァージンオイルを普及する活動と、②旅館や学校などの廃食油によるバイオ軽油を会員や市のごみ収集車に利用する活動の2本柱で進めています。

バイオ軽油については、周囲への環境負荷が少ないように、小規模な設備で、地元から収集できる範囲での生産を原則に、地道に10年間続けました。しかし、産業廃棄物の制約や雑多な廃食油を扱うことに伴う生産効率の悪さ、自動車メーカーによる仕様の変更などにより、厳しい運営に苦しみました。

バイオ軽油の取組みは全国各地に広がりましたが、継続できているところはごくわずかとなっています。こういう小さな活動が続けられる社会システムが必要であることを痛感しています。

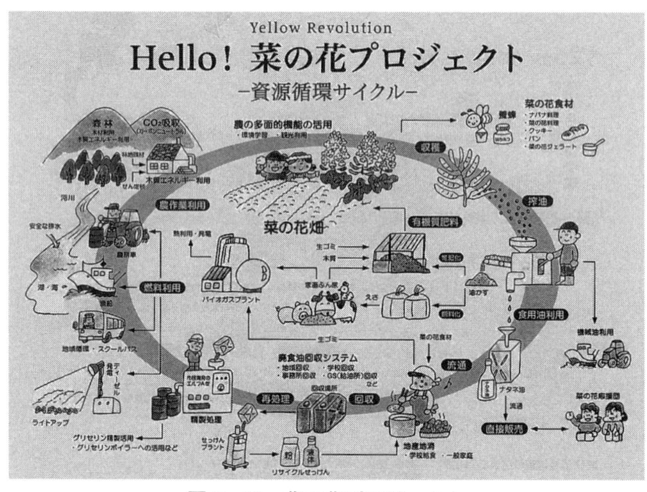

図2－18　菜の花プロジェクト

出所：菜の花プロジェクトネットワークホームページより

第3部
再生可能エネルギーと「地域の力」

「資源の開発にとってもっとも重要な存在は民衆である。個人の幸福と繁栄はその真の目的であるばかりでなく、それは開発をやりとげるための手段である。彼らの叡智、彼らのエネルギー、彼らの精神力は、その道具である。『民衆のために』ばかりではない、『民衆の手で』なされるのである。」

リリエンソール『TVA—民主主義は進展する—』(岩波書店 91 頁)

＊TVA（Tennessee Valley Authority：テネシー川流域開発公社）は、世界恐慌下の1933年、米国大統領フランクリン・ルーズベルトによるニューディール政策の一環として、32個の多目的ダム建設を中心としたテネシー川流域の総合開発を目的として作られた機関で、リリエンソールは第3代理事長を務めた。

第10章　再生可能エネルギー開発の３原則

再生可能エネルギーの開発が、自然環境との調和を図りつつ、地域社会の利益につながるように進められるためには、地域の側に主体的な力（地域の力）が育つ必要があります。

第３部では、地域資源を利用した再生可能エネルギーの開発に際しての３つの原則（①アセスメント、②地域内再投資力、③国際連帯）について提案します。

1. 地域の力

エネルギーは何らかの事業を行なうための手段です。

事業をより良く行う上で、地球温暖化防止や地域資源の活用などの観点から再生可能エネルギーが選択され、その利用が環境や地域社会に負の影響を与えないように努める姿勢が、持続可能な社会における事業者に求められます。

もちろん、エネルギーの開発と流通を「目的」とした事業形態はありうるし、そうした専門性が適切な事業を担保するという側面もあります。とはいえ、地域の資源を利用するという点において、上記の姿勢はいっそう重視されてしかるべきです。

一方、自然資源を無形・有形の共有財産とする地域社会は、それらが適切に利用されるように管理する立場です。再生可能エネルギーを利用しようとする事業に対して監視し、必要に応じて意見し、管理に参加するなどの努力が求められます。

事業者と地域社会のこうした緊張関係を含むやりとりが「地域の力（自治力)」を育てます。

2. 3原則の基盤

地域の資源を利用した再生可能エネルギーの事業が行われるに際しての3つの原則は、その事業が「地域の力」を育てる方向で社会に作用することを念頭に、以下の3つの考え方を基盤として提起するものです（表3－1）。

表3－1　再生可能エネルギー開発の3原則

基盤となる考え方		3原則	手段（例）
地域の力を育てる	地域の資源を管理する	アセスメント	適正配置ルール 自主簡易アセス
	地域に労働を取り戻す	地域内再投資力	マイクログリッド 地域（自治体）新電力
	地域と地域の連帯を進める	国際連帯	地域間電力提携 途上国支援

筆者作成

(1) 地域が資源を管理する

再生可能エネルギーの開発を行う事業者を含め、地域の関係者がそれぞれの立場から、または協働して、地域の資源を適切に管理することで、後世のためにより良い判断を導くための社会的な営みをアセスメントといいます。

(2) 地域に仕事を取り戻す

地産地消型の事業とすることで、再生可能エネルギーに係る地域での仕事をおこし、雇用につなげ、地域にお金の循環を形成して、地域内に投資する力を育てるようにすることです。そうした地域経済学の理論として地域内再投資力論があります。

(3) 地域と地域の連携を進める

地域の過不足を補い合うとともに、連帯して政府や経済界に対して地域を育てる観点からの政策を提案し、その実現を図ります。また、エネルギーの圧倒的な不足から貧困や未権利な状態にあえぐ世界の地域に視野を広げて、連帯した活動を進めます。

3. 持続可能な社会をめざして

(1) SDGsと持続可能な開発に求められる原則

SDGs（Sustainable Development Goals：持続可能な開発目標）は、2015年9月の国際連合特別総会で加盟国の全会一致により、「持続可能な開発のための2030アジェンダ」に記載された2030年までに達成をめざす目標です。その基本理念は、地球上の「誰一人取り残さない（leave no one behind）」ことであり、発展途上国のみならず、日本を含む先進国自身が取組むユニバーサル（普遍的）なものとして提起されています。

国連によるこの提起は、人類が抱える貧困や差別、地球環境問題に、多くの人々の目を向けさせるきっかけとなりました。

目下、あらゆるビジネスや社会的な活動が、SDGsの17目標と169のターゲットに「紐付け」させて、SDGsへの貢献を強調しています。そのことが、各種の融資や助成金、社会的信用を得るために欠かせない要件となっているからです。SDGsの17目標と169ターゲットは多岐にわたり、総花的なものなので、ビジネス側からみればどんなことでもSDGsに関係していると説明できます。

SDGsがはやり言葉のようにビジネスに利用されている目下の状況は、持続可能な開発とは何かという原則が見失われているようにみえます。

Sustainable Development（維持可能な開発）は、「環境と開発に関する世界委員会」が1987年に『Our Common Future（邦題：われら共有の未来）』において提唱したものです（表3-2）。第12章からなる報告書には原則的な行動規範が提起されています。細分化された個々の目標への貢献を論じるより前に、こうした原則的な行動がとられているのかを評価する必要があります。

＊Sustainabilityを外務省が「持続可能」と主体的に訳したことについて、地球環境という人類にとっての客体を今のまま維持しなければならないという原則を示したものであるのに、地球環境は変えられるかのような意味にしてしまっているとの指摘があります（自治体研究社『住民と自治』2020年1月号での宮本憲一氏インタビュー参照）。本書でも「維持可能」を使うべきところですが、一般的に使われていることを踏まえて「持続可能」を使っています。

表3－2　Our Common Future（概要）

第1章	未来への脅威
第2章	持続可能な開発に向けて
第3章	国際経済の役割
第4章	人口と人的資源
第5章	食糧安全保障：潜在生産能力の維持
第6章	種と生態系：開発のための資源
第7章	エネルギー：環境と開発のための選択
第8章	工業：小をもって多を生産する
第9章	都市の挑戦
第10章	共有財産の管理
第11章	平和、安全保障、開発及び環境
第12章	共有の未来のための認識と行動

出所：環境と開発に関する世界委員会『われら共有の未来』1987年（環境省訳）

(2) SDGsと再生可能エネルギー

SDGsの目標7「エネルギーをみんなに、そしてクリーンに」は5つのターゲットを提示しています（表3－3）。

ここに示された課題は、leave no one behindの基本理念が示すように、発展途上国のおかれた状況が根底にあります。全世界の約15%が電力のない生活を過ごし、そのことが経済成長を阻害し、貧困の削減努力に悪影響を与えています。再生可能エネルギーの開発を進める社会的な意義を、人類が置かれている状況を見据えた上で位置付けていく必要があることを、SDGsは訴えています。

再生可能エネルギーの事業は、SDGsの目標13「気候変動に具体的な対策を」にも寄与するものです。しかし、その開発行為により自然環境や地域社会に悪影響を与えるのであれば、目標3「すべての人に健康と福祉を」、目標11「住み続けられるまちづくりを」、目標14「海の豊かさを守ろう」、目標15

表3－3　SDGs 目標7を構成する5つのターゲット

目標7、すべての人々の、安価かつ信頼できる持続可能な近代的エネルギーへのアクセスを確保する
7.1　2030年までに、安価かつ信頼できる現代的エネルギーサービスへの普遍的アクセスを確保する。
7.2　2030年までに、世界のエネルギーミックスにおける再生可能エネルギーの割合を大幅に拡大させる。
7.3　2030年までに、世界全体のエネルギー効率の改善率を倍増させる。
7.a　2030年までに、再生可能エネルギー、エネルギー効率及び先進的かつ環境負荷の低い化石燃料技術などのクリーンエネルギーの研究及び技術へのアクセスを促進するための国際協力を強化し、エネルギー関連インフラとクリーンエネルギー技術への投資を促進する。
7.b　2030年までに、各々の支援プログラムに沿って開発途上国、特に後発開発途上国及び小島嶼開発途上国、内陸開発途上国のすべての人々に現代的で持続可能なエネルギーサービスを供給できるよう、インフラ拡大と技術向上を行う。

出所：外務省

「陸の豊かさも守ろう」などにそぐわないため、持続可能な開発とは言えません。総合的な視点が必要であり、そのためにも先に示した3原則が必要です。

コラム⑩　コモンセンス

英語圏では公園を、パーク（park：里山的空間）やガーデン（garden：庭園的空間）とは別に、コモン（common：入会地）と呼ぶところもあります。米国のボストン・コモン（写真）が有名ですが、ロンドン市内の公園の約半数はcommonと呼ばれています。

日本では、入浜や里山、井戸端などがcommonに近い場所かもしれません。そこの恵みを特定の人が独占したり、汚したりすると、資源そのものが損なわれ、問題行為を起こした人も含めて、地域社会は不利益を被ることとなります。そのため、commonの利用を通じて、他者への配慮を学び、形成されてくる感覚（sense）をcommon sense（常識）というのではないかと私は考えています。

しかし、社会のあらゆるものごとの私的所有や行政的管理が進み、空き地や川原などに子どもたちが立ち入ることができなくなっています。そのようにしてcommonが消失していく社会にはどのような感覚が育つのでしょうか。古くからの常識にとらわれる必要はないとしても、commonの育て方については人類にとって永続性のある課題ではないかと思います。

ボストン・コモン

筆者撮影

この間、太陽光発電所をめぐっては、空き地または低未利用地をターゲットとして開発が進められてきましたが、地域社会からみるとそこはcommonとして必要な場所であったのかもしれません。そうした捉え方や考え方の違いが各地でのトラブルの背景になっているのかもしれません。

第11章　アセスメント

第1原則「アセスメント」は、再生可能エネルギーを地域に導入し、適切に管理する上で欠かせない事前配慮の営みです。本章では、その前提となる環境コミュニケーションについて解説し、開発事業などにおける具体化としてのアセスメントの意義や取組み方などを紹介します。

1. 環境コミュニケーション

(1) 定義

経済開発協力機構（OECD）は、環境コミュニケーションについて「環境面からの持続可能性に向けた、政策立案や市民参加、事業実施を効果的に推進するために、計画的かつ戦略的に用いられるコミュニケーションの手法あるいはメディアの活用」（1999年、Environmental Communication Applying Communication Tools Towards Sustainable Development）と定義しています。

(2) オーフス条約

これに先立つ1998年、国連欧州経済委員会（EU、ロシア、米国、カナダなど）の枠組みにより、「環境に関する、情報へのアクセス、意思決定における市民参画、司法へのアクセス条約（The UNECE Convention on Access to Information, Public Participation in Decision-making and Access to Justice in Environmental Matters）」がオーフス市（デンマーク）での会議で採択され、2001年に発効し、45の国と地域が批准しています（2012年3月現在）。

通称「オーフス条約（AARHUS CONVENTION）」は、環境情報へのアク

表3－4　環境と開発に関するリオ宣言　第10原則

環境問題は、それぞれのレベルで、関心のある全ての市民が参加することによって、最も適切に扱われる。 国内レベルでは、各個人が、有害物質や地域社会における活動の情報を含め、公的機関が有している環境関連情報を適切に入手し、そして、意思決定過程に参加する機会を有しなくてはならない。 各国は、情報を広く行き渡らせることにより、国民の啓発と参加を促進しかつ奨励しなくてはならない。賠償、救済を含む司法的及び行政的な手続きに効果的なアクセスが与えられなければならない。

出所：環境省

セスなど、各締約国が、市民に保障しなければならない最低限の国際的基準を定めたものです。

こうした国際的な動きの背景には、1992年の「環境と開発に関するリオ宣言」（国連環境開発会議）があります。その第10原則（表3－4）の具体化としてオーフス条約が生まれ、環境コミュニケーションが重視されるようになってきました。

(3) 経済活動分野での国際標準化

2003年には、欧米10民間金融機関の採択により赤道原則（エクエーター原則：Equator Principles）が産声を上げました。赤道原則とは、民間金融機関が大規模なプロジェクトに融資を行う際に、その開発が自然環境や地域社会に与える影響に十分配慮されていることを確認するための基準です。プロジェクトの所在国や業種を問わず適用されます。2020年6月現在、日本の大手金融機関のほとんどを含む世界105社が署名しています。

赤道原則では、外部とのコミュニケーション、環境・社会に関する情報開示、市民の参画、十分な情報を与えられた協議などの原則が示されています。また、赤道原則が求める水準を満たさない場合は融資を行わないことがうたわれています。

こうした中で、国際標準化機構（ISO）では2006年に環境コミュニケーションに関する新規格（ISO14063）を発行し、翌年には日本工業規格（JIS）

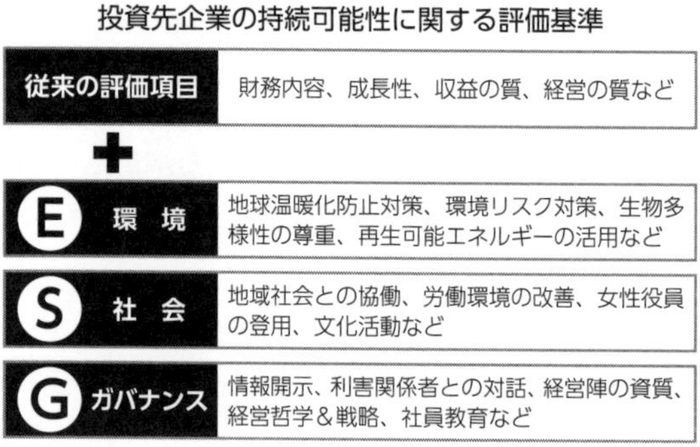

投資先企業の持続可能性に関する評価基準

従来の評価項目	財務内容、成長性、収益の質、経営の質など
＋	
E 環境	地球温暖化防止対策、環境リスク対策、生物多様性の尊重、再生可能エネルギーの活用など
S 社会	地域社会との協働、労働環境の改善、女性役員の登用、文化活動など
G ガバナンス	情報開示、利害関係者との対話、経営陣の資質、経営哲学＆戦略、社員教育など

図3－1　ESG投資の概念

筆者作成

も指針及び事例を公表しています。

2006年は、国連事務総長が機関投資家に対し、ESG投資を内容とする責任投資原則（PRI、Principles for Responsible Investment）を提唱しました。ESGは「環境Environment」「社会Social」「ガバナンスGovernance」のことで、投資家や金融機関の投資判断を変えるために国連が提唱している言葉です（図3－1）。

リーマン・ショック（2008年）を機に市場での短期的な利益追求のあり方を見直す動きが高まり、2019年3月末時点で2400近い年金基金や運用会社などがPRIに署名しています。

金融分野のこうした動きが世界中の企業活動にSDGsへと誘導しているといえます。近年では、社会面への配慮を含めた「ESGコミュニケーション」という概念も提案されています。

(4) 日本での取組み

日本では環境基本法（1993年制定）において、「すべての者の公平な役割分担」の下に、「持続可能な社会の構築」と「未然防止原則」を旨として環境保全対策を進めていくことを掲げ（第4条）、国際的協調（第5条）、環境影響評価（第20条）、経済的措置（第22条）、環境教育（第25条）、民間団体等の自発的な活動（第26条）、情報提供（第27条）などの推進を位置付けました。

同法（第15条）に基づき策定された環境基本計画（1994年）では、「循環」「共生」「参加」「国際的取組」を柱に据えました。これを踏まえて、全国の自治体で環境基本条例の制定と環境基本計画の策定が進み、市民参加型の環境保全活動が広がりました。

しかし、日本政府は、オーフス条約批准については、その必要性を認めようとせず、拒み続けています。そうした中でも、平成13年版『環境白書』(2001年) は環境コミュニケーションを柱に据えて施策の強化を打ち出しました (図3－2)。

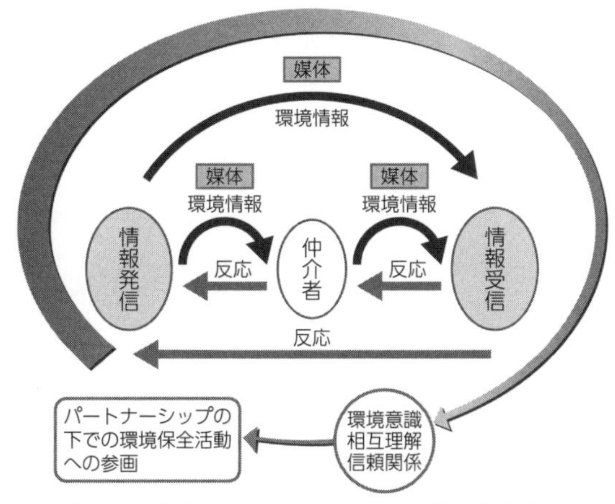

図3－2　環境コミュニケーションの基本的な流れ
出所：平成13年版『環境白書』

2005年には、事業者による環境報告書の取組みの促進を主たる目的とした環境配慮促進法 (環境情報の提供の促進等による特定事業者等の環境に配慮した事業活動の促進に関する法律) が制定されました。環境報告書は、事業者が自らの事業活動に伴う環境負荷の状況や環境配慮の取組みなどの環境情報を総合的に取りまとめて公表する年次報告書です。その外部評価の仕組みとして、環境コミュニケーションが位置付けられています。

今後は、ESG投資などの動向を受けて、情報開示や利害関係者とのコミュニケーションを前向きに取組む事業者が増えています。

2. アセスメント

(1) 定義

ここでいう「アセスメント」は、影響評価 (インパクトアセスメント) のことです。国際影響評価学会 (IAIA) は、「インパクトアセスメントとは、策定中・実施中の開発計画が将来的に及ぼす影響を特定するプロセスである。」(2012年、FASTIPS No.1) と定義づけています。

(2) 持続可能な社会に向けたアセスメント

アセスメントは、事業の効果や周囲への影響を事前に調査して、見積もり、対策案を検討する行為です。意思決定者は、その結果を踏まえて、事業の可否やより良く実施するための対策を判断します。

実施のタイミングは、戦略的段階（構想・基本計画・実施計画など）や事業実施段階（詳細計画、モニタリングなど）で、計画の熟度や事業の進捗状況に見合った方法が採用されます。その内容は、環境や災害、社会福祉、文化、経済、公財政など幅広く、事業の種類、実施場所、アセスメントの実施時期などに応じて選択します。

こうしたアセスメントの考え方は、近年では「持続可能性アセスメント」として、米国やEUではガイドラインや実践例の蓄積が図られています。また、東南アジアの多くの国々で戦略的段階での環境アセスメントを実施しています。

また、法律や条例などの制度によってアセスメントの実施が求められている事業でなくても、自主的に事業者による説明責任を果たすために行われるものもあります（自主アセスメント）。

日本において制度化されている環境アセスメントは、環境分野に限定して、事業実施段階での手続きを定めたものです。2020年東京オリンピック・パラリンピックのアセスメントでは環境や社会経済項目を評価する取組みが試行的に行われていますが、国内での実践例は皆無に等しい状況です。

再生可能エネルギーは、持続可能な社会の装置としてふさわしいものとなるように、環境面のみならず、社会・経済の側面からもアセスメントが営まれる必要があります。

(3) アセスメントにおける環境コミュニケーション

アセスメントは、科学的な調査（技術面）と情報交流（社会面）を両輪として実施されるものです。その理由は、利害関係者、とりわけ事業が実施される地域の住民等が保有する情報（歴史的に培ってきたこだわりや事業に伴う不安など）は、統計的な情報からだけでは得られない重要な情報がありうるからです。また、そうした地域固有の情報に耳を傾ける姿勢が、事業者に対する住民等からの信頼を培い、事業の持続可能性を高めます。

日本においては、1984年に閣議決定された「環境影響評価実施要綱」（いわゆる閣議アセス）において、開発事業に関係する地域の住民から意見を聴取する手続きが導入されました。情報公開や住民参加が一般的になっていなかった当時は、他の行政分野に先駆けたものでした。

なお、アセスメントでは、事業の実施に伴って配慮すべき影響に関する情報を求めており、賛否は問うていません。そのため、住民等が日頃から地域の状況に目配りし、開発案件などが浮上したときに、その内容や規模、立地などに即して適切な情報を提供する役割が期待されます。さらに、必要に応じて対策を提案し、その実施に参加（協働）することで、地域の資源の管理に努めます。

事業者及び住民等のそれぞれの立場からのこうした営みを引き出す手続きとしてアセスメントが機能し、環境コミュニケーションが図られるとき、「地域の力」を育てていくことにつながります。

3. 環境コミュニケーションを支える情報基盤

地域における環境コミュニケーションを促進する基盤としては、情報源（データベース）と道具（ツール）、そして対話を容易にする人材（ファシリテーター）が必要です。

(1) 環境系データベース

環境コミュニケーションを重視する国際潮流を受けて、環境系のデータベースの充実が図られています。

研究分野では国立環境研究所が、行政分野では環境省では「環境総合データベース」が整備されています。自治体においても、これらとリンクさせながら、独自のデータベースを構築しています。

図3－3　EADASの構成イメージ
出所：環境影響評価情報支援ネットワークより

環境アセスメントの分野では、環境省「環境アセスメントデータベース(EADAS)」を構築しています。EADASには、自然環境、社会環境、再生可能エネルギー、風力発電における鳥類のセンシティビティマップ、国立公園等インベントリ整備情報などの情報が、地図情報として整備されています（2020年3月末時点）。これら地図情報は、再生可能エネルギーの環境アセスメントに係る調査はもとより地域環境の現状を知る上でも有益です（図3－3）。

(2) 情報交流のツール

このような情報源を活用して、自治体が再生可能エネルギーに関して立地適正マップを整備することは、事業者の事前配慮を促すとともに、環境コミュニケーションを促進するツールともなります。

環境影響評価制度に基づき実施されるアセスメント図書（配慮書・方法書・準備書・評価書・報告書）やそれを資料として開催される説明会（方法書及び準備書段階など）は、地域環境の現状と事業による影響や対策を知る貴重な機会です。

なお、制度上の手続きが終了した図書についても、地域にとって貴重な資料であることから継続して閲覧できるようにすべきですが、現状では事業者側が「著作権」を主張して、ほとんどの図書は自由に閲覧できる状況にはなっていません。

また、一般にアセスメント図書は数百～数千頁に及ぶ膨大なものとなっています。膨大な情報の中から、知りたい情報を得て、対話に役立てる工夫が必要になっています。

そうした膨大な資料を読み解く機会として説明会があります。一方通行ではく、双方向のやり取りで理解が進む運営方法のあり方が課題となっています。しかし、新型コロナウイルス感染症により、環境影響評価制度に基づく説明会が中止ないし非開催となる事態も発生しています。

一方、情報通信技術（ICT）の進展を背景に、新型コロナウイルス感染症対策をきっかけとして一気にオンラインによるコミュニケーションの機会が増え、社会に広がりました。環境コミュニケーションの分野でもICTの活用が図られる必要があります。

(3) ファシリテーター

データベースとツールがあっても、それを対話に生かすことができなければ、環境コミュニケーションは成立しません。これらを活用して対話を容易にする役割をファシリテーターが担います。

環境コミュニケーションにおけるファシリテーターは、たんなる司会者ではなく、「対話」を容易にすることで、利害関係者間の相互理解を促し、「理解」が進むことで必要な対策などの「行動」の検討が容易になるという3つの段階を意図した役割を担います（図3－4）。

環境コミュニケーションでは、化学物質や生物多様性などの幅広く、専門的な情報を扱うため、ファシリテーションを担うことのできる人材の育成も課題となっています。

4. 自主的な環境配慮の推進

(1) 自治体における支援策

環境影響評価制度の対象にならない小規模な事業であっても、事業者が説明責任を果たすために、調査とそれに

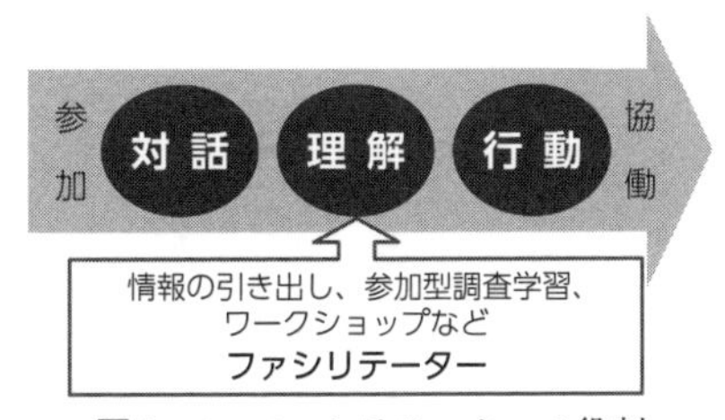

図3－4 ファシリテーターの役割
筆者作成

基づくコミュニケーションの努力がなされるべきです。

自治体が独自に再生可能エネルギー設備の設置に関する条例やガイドライン、地域環境情報を整備することは、こうした事業者による自主的な環境配慮を支援するものとなります。

また、国レベルにおいても、関係省庁や業界団体より中小規模の再生可能エネルギー設備を対象とした事前配慮のガイドラインなどを公表しています。

今後、2050年カーボンニュートラルに向けて、中小規模の再生可能エネルギーの開発も加速するとの見方があります。未然に地域でのトラブルを防止する観点からも、このような支援策の整備が必要です。

(2) 自主簡易アセス

事業者の事前配慮として、地域環境について調査し、判断材料とすることにとどめず、住民等の利害関係者との情報交流により積極的に配慮すべき情報を引き出す努力がなされることで、持続可能な社会に向けたアセスメントとしての機能が期待されます。

自主簡易アセスは、環境影響評価制度の対象とならない規模や種類の開発事業を対象として、その実施方法も自由度の高いものであることから、環境項目のみならず、災害や社会福祉など、住民等の関心に応えた情報交流が可能となります。こうした取組みが再生可能エネルギー開発における「持続可能な社会における作法」として定着していくことを願うものです。

(3) 住民との協働による環境管理

自治体の条例やガイドラインによる住民説明会の開催や事業者による自主簡易アセスの取組みは、事業計画が具体化した段階であるため、後戻りが難しい面があります。

自治体による適地マップが整備されていると、事業者による構想段階での判断に役立ちます。適地マップづくりの過程に住民や専門家の参画を図ることで、その説得力は高まり、住民による点検機能もより働くことになります。

また、持続可能性を高めていく観点からは、再生可能エネルギー設備の整

表3－5　協働による地域環境管理のイメージ

ステージ		行　政	住民等	事業者
計画段階	適地選定	適地マップや環境配慮指針の整備	マップや指針づくりへの参画	行政との情報共有 事前配慮
	事業化	条例等による説明会等の規定	説明会への参加 意見の提出	説明会の開催 自主簡易アセス実施
実施段階	運営管理	条例等による立入調査等の規定	工事中や供用後の環境監視	視察受入れ 実施状況報告書の開示
	解体廃棄	条例等による廃棄費用積立の規定	解体・廃棄現場の環境監視	

筆者作成

備後、事前配慮が適切に実行されているのか、想定外の問題はないのかなどの点検する仕組みも重要です。自治体の条例などで立入調査を規定しているところもありますが、住民参加で取組まれることで、地域社会としての点検が図られることになります。

さらに、設備の解体・廃棄の過程に住民が点検できる仕組みがあると、事業に対する信頼度を高めます。条例などで廃棄費用の積み立てを事業者に求めている自治体もあり、そうした規定と連動させることで、実効性が高まります。

このように、地域社会において、再生可能エネルギー開発のあり方について、構想段階から管理、廃棄に至る各過程で住民や専門家が関与する機会を設けることで、環境コミュニケーションを育て、地域の持続可能性も高まることが期待されます（表3－5)。

また、こうしたプロセスに関与し、ファシリテーターを担う地域の環境系NPOの育成も課題となります。

(4) 改正温対法と市町村の対応

2021年5月に成立した地球温暖対策推進法の一部改正（改正温対法）は以下の柱からなります。

①2050年までの脱炭素社会の実現を基本理念に明記。

②地方創生につながる再生可能エネルギーの導入を促進。

③企業の温室効果ガス排出情報のオープンデータ化を進める。

地域社会との関係で重要なのは②の点です。再生可能エネルギーに係るトラブルが頻発していることから、自治体が策定する実行計画において、地域の脱炭素化や課題解決に貢献する事業の認定制度を創設します。これにより、関係法律の手続きのワンストップ化を可能とするなど、円滑な合意形成による再生可能エネルギーの利用促進を図ろうというものです（図3-5）。

これは、河野担当大臣による風力発電や太陽光発電の環境アセスメントの規模用件緩和の圧力には応ぜざるを得ない環境行政の側のささやかな抵抗ではないかと思われます。とはいえ、これまで私有財産権や営業権によって制御が難しかった面がありましたが、市町村の認可という関与により、事業の計画段階での環境配慮や地域社会への配慮を促し、それに適合しないものを排除する力になりうるのではないかと考えます。

問題点も想起されます。たとえば、国の環境アセスメント制度では審査しなくなった規模の風力発電や太陽光発電について市町村に判断を丸投げしていることです。推進するにしても、抑制を求めるにしても、その根拠となる情報を市町村が容易に得られるようにすることと、助言が欠かせません。長野県内のある市では、2050年カーボンニュートラルを進める全市的な協議会（改正温対法の受け皿となることが予定されている）に、生物多様性の専門家やNGOが構成員として加わっていないことについて、会議で委員から指摘がありました。地域の自然環境に詳しい専門家の関与が欠かせないことは、本書をここまで読まれた方には自明の理ではないでしょうか。

いずれにしても、再生可能エネルギーの推進に、市町村のチェック能力を含めて規定されたことは大きな意義があります。「地域の力」を育てる仕組みとして定着することを願います。

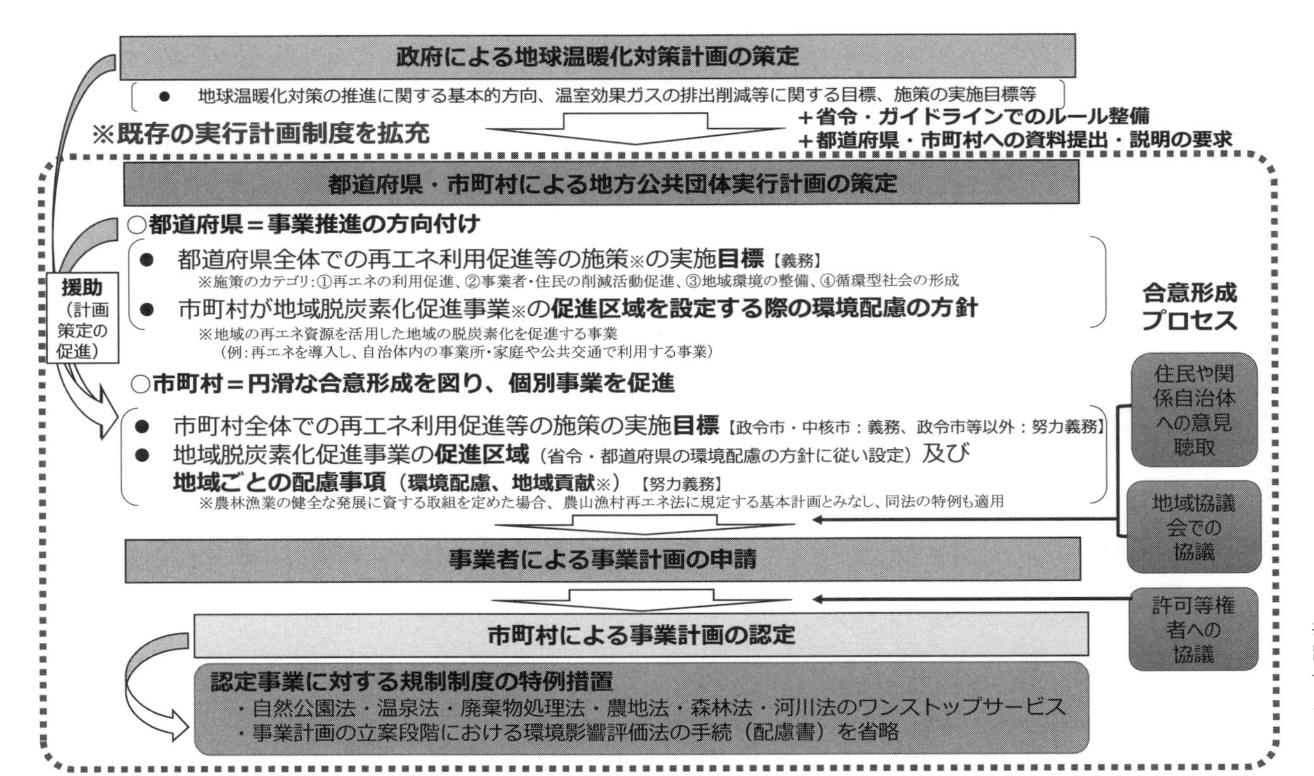

図３－５　地域の脱炭素化の促進制度のフロー図

出所：環境省

コラム⑪　情報交流の4つのレベル

都市開発や地域開発に関する情報は膨大で、専門用語や難しい数値・計算などが満載です。これをただ公開するだけでは、情報を共有したことにはなりません。情報交流に望まれる展開を以下に示します（図3－6)。

①アクセス（入手の容易さ）

情報へのアクセスの向上は情報交流の基盤です。公文書管理制度と情報公開制度により様々な行政資料が、閲覧に供されます。また、統計情報や地図情報など、幅広い分野で行政情報のオープンデータソース化が進められています。しかし、情報公開請求は敷居が高い上に、WEBサイトを利用できる人ばかりでもないことも考慮が必要です。

②レファレンス（道先案内）

情報源にたどり着けても、知りたい情報がどこにあるのかわからないことがあります。「新しくできる道路からの騒音は、孫の通う保育所のあたりではどのくらいになるのか？」のような、知りたい情報のありかを案内できる機能があると、安心して利用できます。

③ファシリテート（理解の補助）

知りたい情報が入手できても、そこに記されていることが○○ dBや○○ ppmといった専門用語ばかりで、それが何を意味し、自分の生活においてどのような状態をいうのか理解できなければ意味がありません。解説情報や質問に対応して理解を支援する機能が必要です。

④パートナーシップ（情報の生産などにおける協働）

情報は提供者に対する信頼がないと受け入れられません。その溝を埋めるには、情報そのものの生産と蓄積、公開といったプロセスに利害関係者が参加することが効果的です。参加型の調査活動はそうした効果が期待できます。

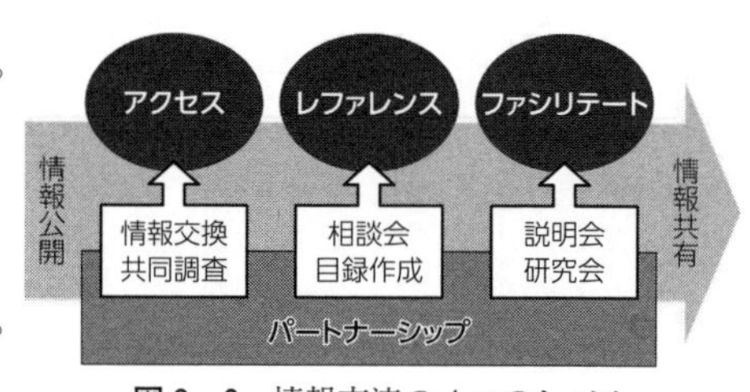

図3－6　情報交流の4つのレベル

筆者作成

第 12 章　地域内再投資力

第 2 原則「地域内再投資力」は、地域社会が主体となって再生可能エネルギーを開発し、活用することで、地域に仕事をおこし、お金の循環をつくりだす力のことです。

1.　地域内再投資力論

地域内再投資論力は、岡田知弘氏（京都大学名誉教授、自治体問題研究所理事長）による経済学からの地域再生に向けた提言です。

地域の住民生活の向上に寄与するような資金の地域内循環（図 3－7）を促しながら、地域が主体となった産業振興・環境保全・福祉施策を一体的に展開することの重要性を論じています。

従来型の地域開発は、その利益が中央（大都市やグローバル企業など）へと還流し、そのおこぼれが地域の権力的統治に利用されてきました。そうしたお金の流れと政策を、地域における実践活動が連帯しあうことで再構築していく展望が読み取れます。

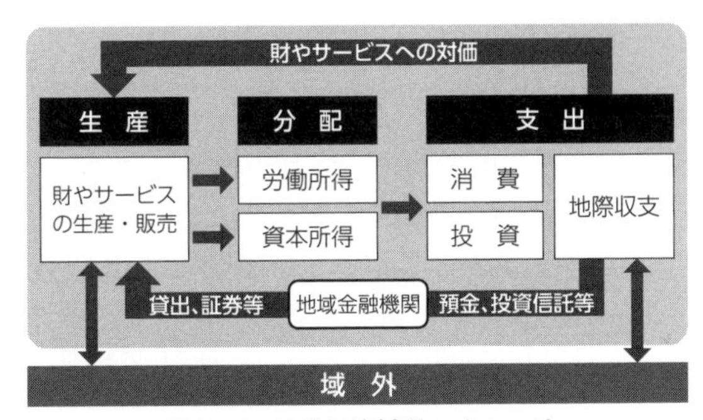

図 3－7　地域経済循環のイメージ
出所：平成 27 年版『環境白書』を参考に筆者作成

再生可能エネルギーの分野でも、FIT や電力自由化により旧一電（東京電力など旧一般電気事業者）の特権を打破するかのようにみえて、実際には中央政府と旧一電への従属を強めています。2020 年 12 月末から翌年

1月中頃にかけての卸電力市場における「超高騰」(後出) と、その影響による新電力の倒産は、そうした構造を如実に表しています。

再生可能エネルギーをめぐる地域でのトラブルは、地域の共有財産が中央に富を吸収する仕組みとつながった資本によって行われていることに対する不信感が背景にあります。再生可能エネルギーは、「地方分権」や「地域再生」に資する取組みであるように見えますが、FITなどの現行の仕組みを前提とした場合、地域内再投資力となるような再生可能エネルギーの事業は、スローガンとしては成り立っても、お金の流れとしては難しいのが実態です。

現時点ではFITを収益源としつつも、非FIT (地元への流通を主目的とした事業) や卒FIT (FIT期間を終了した事業) を動員しながら、地域における再生可能エネルギーの「地産地消」をめざす営みが、この分野での地域内再投資力を高めていくのではないかと私は考えます。本章では、地域に根差した電力会社をめざす取組みを紹介しながら、今後の課題を考えます。

2. 自治体新電力

(1) 電力自由化

これまで家庭や商店向けの電気は、各地域の電力会社 (旧一電) だけが販売しており、家庭や商店では、電気をどの会社から買うかを選ぶことはできませんでした。

電力自由化は、2000年3月に特別高圧 (大規模事業所) で、2004年から2005年3月にかけて高圧 (中小規模事業所) で、2016年4月に低圧 (家庭や商店など) へと順次拡大され、電力会社が選べるようになりました。

電力の供給システムは、①発電部門、②送配電部門、③小売部門からなります。①発電部門は原則参入自由ですが、②送配電部門は安定供給の観点から政府が許可した企業 (旧一電) が行い、供給される電気の品質や信頼性 (停電への対応など) を確保しています。

なお、電気の特性上、電気の需要 (消費) と供給 (発電) は、送配電ネットワーク全体で一致させる必要があります。そのため、小売部門の事業者が契約者（消費者）に必要とする電力を調達できなかった場合には、送配電部門の事業者（旧一電）が補うように調整します。その場合、小売部門の事業者（新電力）は、送配電会社にインバランス料金（追加料金）を払わなければなりません。

(2) 自治体新電力とは

低圧区分の自由化以降、小売電力事業者が急増しました。そのうち、地域内の発電電力を活用して主に地域内の公共施設や民間企業、家庭に電力を供給する小売電気事業を「地域新電力」といいます。とりわけ、自治体が出資するものを「自治体新電力」といいます。

自治体にとっては、地域内のエネルギー（ごみ発電、太陽光発電、風力発電、小水力発電など）を活かして、公共の電力需要施設（役場や小中学校、体育施設など）に供給することで、その利益を地域社会に還元することが期待されます（図3−8）。

近年では、スマートメーター（通信機能を併せ持つ電子式電力量計）の普及により、介護福祉や子育て分野での見守り機能を付与させて、地域づくりに生かそうとする動きもあります。

地域新電力の多くは、契約している電力需要に対して必要な電力をすべて地域内から調達できているわけではないため、一般社団法人日本卸電力取引所（JEPX：Japan Electric Power Exchange）から入札で電気を売買しています。JEPXは日本で唯一の卸電力取引所です（2003年運用開始）。

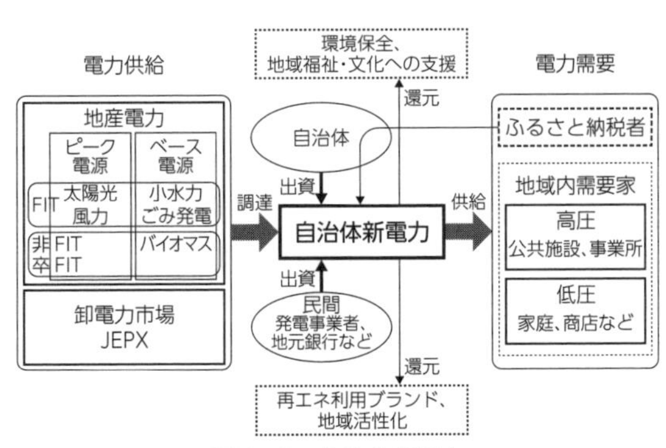

図3−8　自治体新電力

2021年3月24日現在、筆者作成

表3－6　自治体が関与する地域新電力一覧

地域	会社名	所在地	供給エリアまたは売電先	2020年12月販売量千kWh
東北	1 合同会社北上新電力	岩手県北上市	北上市内の公共施設	1,157
	2 久慈地域エネルギー㈱（アマリンでんき）	岩手県久慈市	久慈市内	1,776
	3 宮古新電力㈱	岩手県宮古市	宮古市内	1,517
	4 ㈱かみでん里山公社	宮城県加美市	加美市内	524
	5 ㈳東松島みらいとし機構（HOPE）	宮城県東松島市	東松島市内	1,615
	6 ローカルでんき㈱	秋田県湯沢市	湯沢市内と県南部の周辺市町村	2,231
	7 ㈱やまがた新電力	山形県山形市	山形市内	5,391
	8 会津電力㈱	福島県喜多方市	会津地域	掲載なし
	9 そうまグリッド合同会社	福島県相馬市	相馬市内の公共施設	642
関東	10 ㈱中之条パワー	群馬県中之条町	中之条町とその周辺	924
	11 秩父新電力㈱	埼玉県秩父市	埼玉県西部	1,328
	12 ㈱ところざわ未来電力	埼玉県所沢市	所沢市内	2,605
	13 ふかやeパワー㈱（ふっかちゃんでんき）	埼玉県深谷市	深谷市内	784
	14 ㈱CHIBAむつざわエナジー	千葉県陸沢町	東京電力エリア	141
	15 銚子電力㈱	千葉県銚子市	全国	実績なし
	16 成田香取エネルギー	千葉県成田市・香取市	成田市・香取市内の公共施設	2,649
	17 東京エコサービス㈱	東京都港区	東京二十三区内	15,499
	18 ほうとくエネルギー㈱	神奈川県小田原市	神奈川県内	掲載なし
中部	19 丸紅伊那みらいでんき㈱	長野県伊那市	伊那市内とその周辺	1,429
	20 しずおか未来エネルギー㈱	静岡県静岡市	中部電力エリア	掲載なし
	21 ㈱浜松新電力	静岡県浜松市	浜松市内	4,284
	22 松阪新電力㈱	三重県松阪市	松阪市内の公共施設	1,207
関西	23 こなんウルトラパワー㈱	滋賀県湖南市	関西電力エリア	449
	24 亀岡ふるさとエナジー㈱	京都府亀岡市	亀岡市内	429
	25 ㈶泉佐野電力	大阪府泉佐野市	関西電力エリア	1,248
	26 いこま市民パワー㈱	奈良県生駒市	関西電力エリア	2,411
中国	27 ㈱とっとり市民電気	鳥取県鳥取市	鳥取市内	6,794
	28 南部だんだんエナジー㈱	鳥取県南部市	中国電力エリア	250
	29 ローカルエナジー㈱	鳥取県米子市	鳥取県西部	2,587
	30 奥出雲電力㈱	島根県奥出雲町	中国電力エリア	317
九州	31 ㈱北九州パワー	福岡県北九州市	北九州市内	15,000
	32 Cocoテラスたがわ㈱	福岡県田川市	九州電力エリア	494
	33 みやまスマートエネルギー㈱	福岡県みやま市	みやま市内、大木町内	4,076
	34 ネイチャーエナジー小国㈱	熊本県小国市	九州電力エリア	161
	35 新電力おおいた㈱	大分県由布市	九州電力エリア	6,853
	36 ㈱いちき串木野電力	鹿児島県いちき串木野市	九州電力エリア	992
	37 ひおき地域エネルギー㈱	鹿児島県日置市	九州電力エリア	1,313
	38 おおすみ半島スマートエネルギー㈱	鹿児島県肝付町	九州電力エリア	966

出所：日報ビジネス『隔月刊地球温暖化』（2020年5月号）及びWEBサイト「新電力ネット」を基に筆者作成

経済産業省に登録されている登録小売電気事業者数（新電力）は646件で、電力取引全体に占める割合は4分の1程度となっています。そのうち地域新電力は1割程度で、自治体新電力は38社が確認されています（表3－6）。地域別にみると、東北（9件）、関東（9件）、九州（8件）で全件数の7割弱を占めています。東北では風力発電、関東では太陽光発電、九州では地熱発電が、それぞれさかんに行われていることが関係しているものと推測されます。

(3) 群馬県中之条町の取組み

全国初の自治体系の地域新電力として生まれ、現在も供給先の95％を地元が占める株式会社中之条パワーは、自立分散型エネルギー社会に向けた営みとして注目されています。

立ち上げ時からの中心的存在である山本政雄さん（同社代表取締役）にお話しを伺いました（2021年4月9日）。

――2012年1月に初当選した町長（当時・折田謙一郎氏）が定期人事異動を見送って機構改革し、7月よりエネルギー対策室を新設。その室長に抜擢されました。

東日本大震災を教訓に、新町長の強い思い入れで始まったことです。私は、長年土木職で、直前は水道にいて、再生可能エネルギーの知識がない状態で着任し、試行錯誤の連続でした。

それでも、土木の経験があったから、町の太陽光発電所建設に際しても、業者任せにはせず、住民への説明や周辺環境への配慮、施工管理など、こだわって仕事をしました。

翌年8月に一般財団法人中之条電力が発足し、無報酬の理事として着任し、人件費は町が負担する形で事業が立ち上がりました。2015年11月に同法人の子会社として株式会社中之条パワーを設立し、新会社の代表取締役に就任しました。中之条パワーは、小売電気事業に特化した会社として2015年12月に特定規模電気事業を継承しています。

――公務員と違ったリスクを感じることもあると思います。

たった今、最大の危機を乗り越えたというところです。昨年末からの卸電力市場「超高騰」で、今年4月に新電力最大手のF-Powerも経営破綻したように、当社も債務超過にあえぎましたが、一般財団からの増資で切り抜けました。一般財団時代の事業で蓄えがあったので可能となったのです。

——電力自由化を受けて、民間会社となって一般家庭への電力小売販売を始め、地元密着型事業で知られています。

一般財団のときは取引のある金融機関は1件だけでしたが、会社になってからは地方銀行などともお付き合いするようになり、そのつながりで町内の業者さんに広めることができました。

また、旧一般電気事業者が新電力では太刀打ちできないような安い大口用の高圧プランを打ち出してきたときは、低圧の新しいプランを開発して小口の契約数を大幅に増やすことができました。地域のつながりの大切さを再認識しました。

——目標や展望をお聞かせください。

今後10年間で町内の契約数を1,000件にしたい。また、FIT後を展望しつつ、今回のような電力自由化に伴うリスクに備えるためにも、非FITや卒FITの電力を増やしていくつもりです。

それもメガソーラーではなく、町内の家庭や事業所の屋根置きなどの小規模なものからなるべく高く買って、それを町内で使ってもらう仕組みにしていきたいと思います。

美野原小水力発電所

筆者撮影
最大出力135kW、常時出力34.2kW
流量0.3m³/s、有効落差64.48m
注：中之条ガーデンズ内にあり、取材時はハナモモなどが咲き誇り、多くの来園者で賑わっていた。美野原用水（総延長11km）は1878（明治11）年より計画が始まり、75年の歳月を経て完成し、233町歩を潤している。

——町議会との関係はどうですか。

年1回、一般財団と株式会社の両方から報告書を提出しています。特に問題を指摘されているとは伺っていません。この間の実績が認められているのではないかと思います。

一般財団は、事業を通じた蓄えがあったことで、町からの出資金を含む基本財産を損ねることなく、株式会社における今回の危機も乗り越えることができました。

こうしたお金の流れは透明にしつつ、地域密着の事業で地域に貢献することで評価されていくことが使命と心得ています。

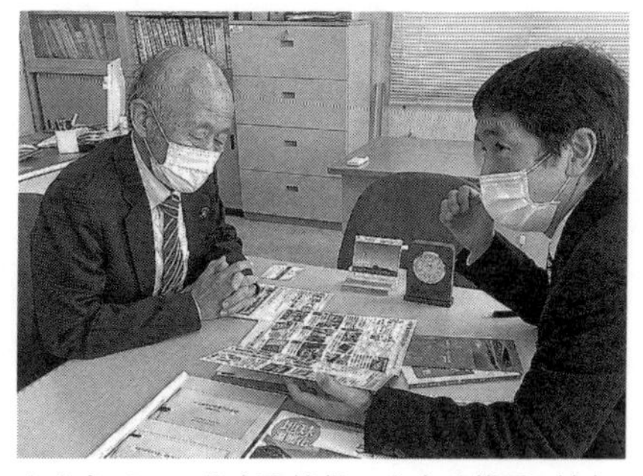

中之条パワー代表取締役・山本政雄氏（左）と筆者

また、町役場からも自立したいと考えて、一昨年8月には役場の中にあった事務所を外に移転させました。この4月には正職員も採用して、運営基盤を強固なものにしていきたいと思います。

――ご経験から地域に密着した電力事業が自立していく上での政策課題を教えてください。

新電力が注目されてはいますが、実際には旧一電が8割を占めていて、「自由化」とは言えない状況です。電力市場は、株式市場のような調整機能が働かないため、今回のような卸値の超高値止まりという事態が再発する可能性があります。新電力が抱えるリスクは引き続き大きなものがあります。そうした中にあっても、地域に根差した自立分散型のエネルギーを育てる仕組みに変えていかなければなりません。FIT後を見据えて、政策の転換が真剣に議論されていくことを期待しています。

＊インタビュー記事は『住民と自治』2021年7月号（699号）に掲載したもの。

(4) 卸電力市場「超高騰」

2020年12月末から21年1月中旬にかけて、日本卸電力取引所の電力価格が、通常ではkWhあたり7〜8円が、50円から250円以上の超高値となる事態となり、話題となりました。

資料　中之条町の再生可能エネルギーの取組み

■中之条町（群馬県吾妻郡）

人口 15,610 人、6,725 世帯（2021 年５月１日）

面積 439km^2（森林面積８割強）、管内標高差 2,000m

■町の再生エネルギー推進の取組み

2012 年	7 月　1 日	町にエネルギー対策室を設置
2013 年	6 月 13 日	「再生可能エネルギーのまち中之条宣言」採択
	6 月 27 日	再生可能エネルギー推進条例制定
	8 月 27 日	一般財団法人中之条電力設立（基本財産 300 万円）
	9 月 10 日	同財団が特定規模電気事業者（PPS）取得
2014 年	9 月　1 日	町の公共施設（30 カ所）に高圧電力供給を本格開始
2015 年	11 月 10 日	株式会社中之条パワー設立（財団からの全額出資）
	12 月　1 日	同社が財団より PPS を継承
2016 年	3 月 14 日	同社が小売電気事業者登録
	7 月　1 日	一般家庭などへの低圧用電力販売開始

■株式会社中之条パワーの概要

所 在 地：群馬県吾妻郡中之条町大字中之条町 1091

代表者名：代表取締役・山本政雄（一般財団法人中之条電力代表理事）

資 本 金：798 万円

供給エリア：中之条町を中心に関東

電力供給実績：10,263 千 kWh（表参照）

表３−７　中之条パワーの電力供給状況（2019 年度）

<table>
<tr><td rowspan="3">供給実績</td><td colspan="3">販売電力量 千 kWh</td><td>10,263</td></tr>
<tr><td rowspan="2">使用端二酸化炭素排出係数
Kg-CO_2/kWh</td><td colspan="2">実排出係数</td><td>0.299</td></tr>
<tr><td colspan="2">調整後排出係数</td><td>0.492</td></tr>
<tr><td rowspan="4">電源構成
（%）</td><td rowspan="2">FIT 電気</td><td>太陽光</td><td>39.4</td><td rowspan="2">43.6</td></tr>
<tr><td>小水力</td><td>4.2</td></tr>
<tr><td>非 FIT 電気</td><td>太陽光</td><td>0.02</td><td>0.02</td></tr>
<tr><td colspan="3">卸電力取引所</td><td>56.3</td></tr>
</table>

■電源（発電所）

表3－8　中之条パワーの電源（発電所）

施設名	稼働開始	発電規模	事業者
バイテック中之条太陽光発電所	2013年　9月	1,000kW	民　　間
沢渡温泉第1太陽光発電所	2013年10月	1,990kW	中之条町
沢渡温泉第2太陽光発電所	2013年12月	1,990kW	
沢渡温泉第3太陽光発電所	2017年　6月	1,999kW	
美野原小水力発電所	2017年　7月	135kW	

■事業内容

町内の再生可能エネルギー発電所（約44%）と卸電力取引所（約56%）から調達した電気を、町内の公共施設（高圧、約30件）と一般家庭等（低圧、600件余）に供給する。また、ふるさと納税制度を利用し、寄付者（東電管内）に電力を供給している。

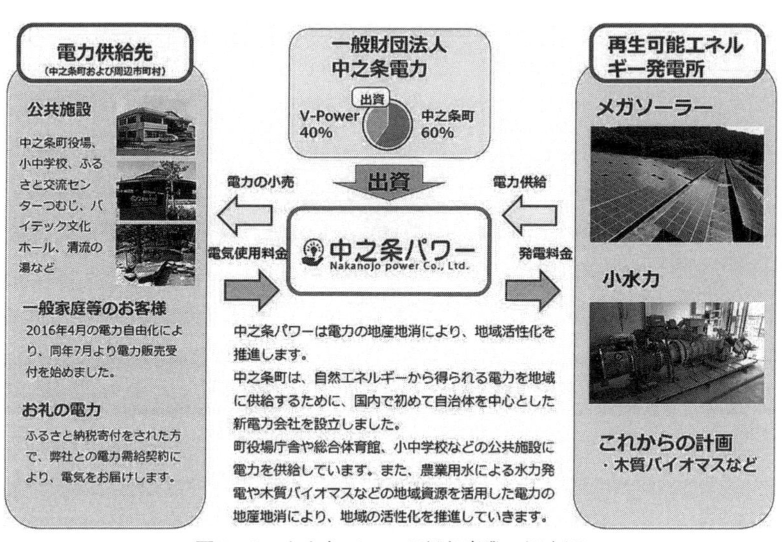

図3－9　中之条パワーが行う事業の概念図

出所：同社パンフレットより

筆者作成

その原因は、①寒波による電力需要の高まり、②火力発電に使うLNG（液化天然ガス）の供給不足、③高浜原発の再稼働延期などによる国内供給の減少などが指摘されています。

新電力会社にとっては、仕入れコストが高くなる上に、必要量を調達できない場合は送配電会社にインバランス料金を払わなければなりません。これはペナルティ的な性格があって高額なため、新電力会社はこの支払から逃れるために何とかして市場から電気を購入するために高値をつけるというサイクルが繰り返されて、「超高騰」となったとみられています。

さらに、2017年の改正FIT法により、FIT電気の仕入れ価格と卸電力市場は連動することとなりました。このため、FIT電気を主力としていた新電力会社にもダメージを与えました。

新電力最大手のF-Powerの倒産など、インバランス料金やFIT電気の支払いが集中する3月末を乗り越えられない事態に陥った新電力会社の苦境が続いています。こうした事態は、自治体新電力を含む新電力には大きなリスクがあることを浮き彫りにしました。

この事態に対して、再生可能エネルギーの普及を進める団体のネットワーク組織「Power Shift 2016パワーシフト・キャンペーン」は、以下の三項目の要望を掲げ、経済産業大臣宛の署名活動に取組んでいます（2021年2月下旬より）。

1．今回の電力市場価格高騰の実態解明と、再発の防止を求めます

　電力市場価格高騰の原因は、市場の未成熟にあったと考えられます。データをすべて公開し、実態の解明を行い、再発防止のための施策を徹底してください。

2．消費者に不公平がないように、何らかの緊急対応を

　電力市場価格高騰により、一部の消費者や再エネ新電力会社に極端な負担が出ています。対処をすべて電力会社に負わせるのではなく、政府としても何らかの緊急対応を行ってください。

3．再エネ拡大につながる電力システム改革を

　現状の不公平な電力制度は、再エネ新電力に大きな打撃を与えており、

今後再エネの拡大を阻害することが懸念されます。再エネ拡大につながるかたちへ、電力システム改革のあり方を再度見直してください。

(5) 自治体新電力のこれからと課題

自治体新電力はエネルギーの地産地消による地域おこしが目的です。これを強みとして生かせるかどうかは、卸電力市場からの調達への依存を減らし、地域内の再生可能エネルギーで需要に応えられる供給を可能とすることにかかっています。

一方、需要側では、事業活動に伴う使用電力を再生可能エネルギーに転換する動きが急になっています。特に、金融市場におけるSDGsに呼応したESG投資の主流化や、政府や自治体による2050年カーボンニュートラルの目標に基づく各種補助金や融資の動向を念頭としたものです。また、2019年2月からは、産地とエネルギー種別付きのトラッキング付FIT非化石証書（非化石電源により発電された電気の非化石価値を分離し証書にしたもの）が実証実験的ながら導入されて以降、その取引は急増しています。

今後、事業活動を行うものにとって、再生可能エネルギーを事業にどう取り込むのかは、企業のみならず自治体を含め、大きな課題となります。

今後、自治体新電力においては、送電線を介して日本卸電力取引所で取引されるFIT電気ではなく、非FITや卒FITといわれる系統接続しないタイプの再生可能エネルギーを地域内から調達して、地域の事業者の再生エネルギーへの転換という要望に応えていくことで事業の持続可能性を高めていくことが求められます。なお、非FITはFIT制度に属さない電気で発電した電気の環境価値はすべて買い取った使用者に属します。卒FITは買取期間が満了した発電所による電気です。2019年11月以降、住宅用太陽光発電設備が順次該当し、2023年までに約165万件になります。

また、自治体新電力のこれまでの実績や教訓に学びつつ、今後の卒FITの増加を見込んで、新たに自治体新電力を設立しようとする動きも広がるのではないかと思われます。

しかし、卸電力市場をめぐる今回のような事態が再発する可能性は十分あり、自治体新電力の経営上のリスクは変わりません。また、「地産地消」を名目としつつ中央の資本に利益を吸い取られているのが実態ではないかという見方もあります。「地域資源から生み出される価値を地域内に再投資する仕組み」（地域内再投資力）をこの分野でも育てていくためには、出資している自治体によるチェック機能が働く必要があり、とりわけ議会の役割は重要です。

また、2050年カーボンニュートラルの目標の下、再生可能エネルギー開発の規制緩和が急速に進められている中で地域において環境や地域社会に配慮した再生可能エネルギーの開発をどのように進めていくのかも大きな課題となります。

自然環境や生活環境に配慮した再生可能エネルギーを電力源とした自治体新電力が、経営的にも適切な自治体の関与で透明性があり、地域還元に寄与しうる事業として構築していくことが課題です。

3.　分散型再生可能エネルギー

(1)　スマートグリッド

東日本大震災（2011年3月）での電力危機、北海道胆振東部地震（2018年9月）でのブラックアウト（大規模停電）を契機に集中型エネルギーシステムの脆弱性が顕在化しました。

こうした課題に対応するために、ICTを利用している送配電系統であるスマートグリッド（smart grid：次世代送電網）の構築が世界的な動きとなっています。グリッドとは発電された電力を需要先まで送るための送配電系統のことです。そのスマートさ（賢さ）の程度については明確な定義はないものの、「従来からの集中型電源と送電ネットワーク系統との一体運用に加え、情報新技術の活用により、太陽光発電などの分散型電源や需要家の情報を統合・活用して、高効率、高品質、高信頼度の電力供給システムの実現を目指すもの」（横山明彦『スマートグリッド』2010年）といわれています。

スマートグリッドを担う機器として、スマートメーターとHEMSがあります。

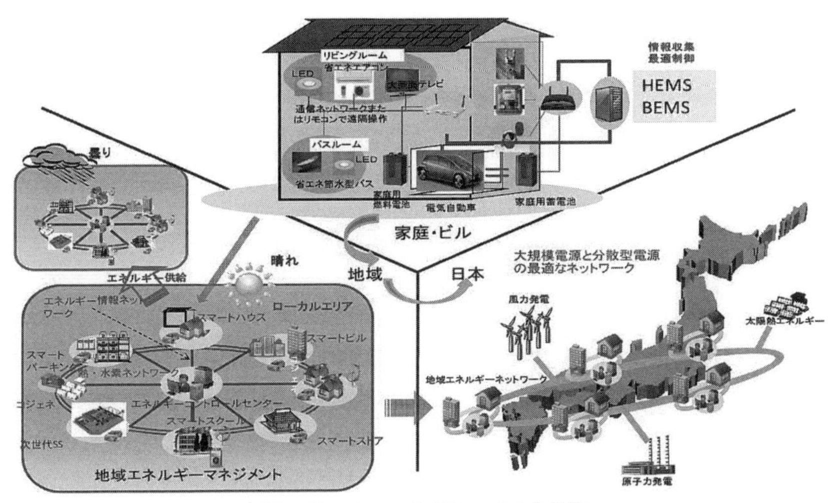

図3－10　スマートグリッドの全体像

出所：経済産業省『次世代エネルギー・社会システムの構築に向けて』（2010年1月）

スマートメーターは、電気使用量をデジタルで計測する通信機能を備えた電力メーターのことです。通信機能により消費者と電力会社との間で双方向の通信が可能になり、電力会社は供給先のエリアや個別の家庭における詳細な電力消費量を把握して、制御することが可能になります。また、個別の家庭と通信機能でつながることで、防災や防犯、見守りなど、地域社会の課題に対応させることも可能になります（図3－10）。

HEMS（Home Energy Management System）は、エネルギー消費量の最適化システムで、電気・水道・ガスの消費量を確認できるほか、自宅に設置している太陽光発電設備の発電量の把握を可能とし、照明機器やエアコンの操作にも対応しています。

スマートメーターやHEMSを標準搭載した住宅をZEH（ゼッチ：ネット・ゼロ・エネルギー・ハウス）といい、再生可能エネルギーの大量導入に欠かせない存在といわれています。

スマートグリッド化の意義は、ピークシフト（昼間電力消費の一部を夜間電力に移行させる方法）や需要家の省エネを促すこと、再生可能エネルギーの導入を促進すること、エコカーのインフラ整備となること、停電対策が高度化されることなどが挙げられています。

(2) マイクログリッド

スマートメーターやHEMSの通信・制御機能を付加した電力網に支えられ、限られた範囲でエネルギー供給源から末端消費部分を通信網で管理するスマートグリッドをマイクログリッド（micro grid）といいます。

これを地域において、多様な再生可能エネルギーを組み合わせて、適切に利用できるシステムを構築することで、分散型エネルギーシステムの展望が拓けるものと期待されています。

表3－9　分散型エネルギーの意義

<table>
<tr><th colspan="2">基本的視点：3E＋S</th><th colspan="2">分散型エネルギーの一般的な意義と想定される効果</th></tr>
<tr><td rowspan="3">Safety
安全性</td><td>Energy Security
エネルギー安定供給</td><td>非常時のエネルギー供給の確保</td><td>非常時のエネルギー供給の確保につながるなど、エネルギー供給リスクの分散化が可能になる。</td></tr>
<tr><td>Economic Efficiency
経済効率性の向上</td><td rowspan="2">エネルギーの効率的利用</td><td>熱の有効活用による高いエネルギー効率の実現や、再生可能エネルギー・未利用エネルギーの有効活用による1次エネルギーの削減、需要地で地産地消することによる送電ロスの低減等により、エネルギーを効率的に活用することが可能になる。</td></tr>
<tr><td>Environment
環境への適合</td><td>上記により、エネルギーコストを削減し、環境負荷の軽減に貢献することが可能になる。</td></tr>
<tr><td colspan="2" rowspan="3">波及効果</td><td>地域活性化</td><td>地域資源の有効活用や、地域のエネルギー関連産業の発展等を通じて地域経済の活性化に貢献。</td></tr>
<tr><td>エネルギー供給への参画</td><td>需要家自らがエネルギー供給に参画することにより、エネルギー需給構造の柔軟化を実現</td></tr>
<tr><td>系統負荷の軽減</td><td>分散型電源を地産地消で活用することができれば、系統負荷の軽減に貢献。</td></tr>
</table>

出所：資源エネルギー庁資料（2015年4月）より筆者作成

エネルギー政策の基本的原則「3E＋S」の観点からは、「非常時のエネルギー供給の確保」や「エネルギーの効率的活用」といった意義が考えられます。加えて、「地域活性化」「エネルギー供給への参画」「系統負荷の軽減」などの可能性もあります（表3－9）。

しかし、分散型電源である太陽光発電や風力発電などの再生可能エネルギーの供給は間欠的（夜は発電しない、風が吹かないと発電しない）で、地域内での需要傾向などが似てくるので、ピーク曲線が急こう配で上昇する危険性があります。こうした課題への対応が今後の普及の鍵となります。

宮古島の南西に位置する来間島（くりまじま）では、沖縄電力など四者の協働事業体が経済産業省の補助事業の採択を受けて、地域マイクログリッド構築事業を2020年9月から始めています。来間島では、既設で380kWの太陽光発電所があり、新たに270kW分の太陽光発電と360kWh分の蓄電池、さらにエリア全体の需要調整を行うMG（マイクログリッド）蓄電池800kWhを整備します。

平常時においては沖縄電力の宮古島系統からマイクログリッドに出入りする電力が極力0（ゼロ）になるように、需要家側のエネルギーマネジメントシステム（EMS）で需要家側蓄電池を、マイクログリッド側のEMSでMG蓄電池を制御しマイクログリッドに電気を供給します（図3－11）。

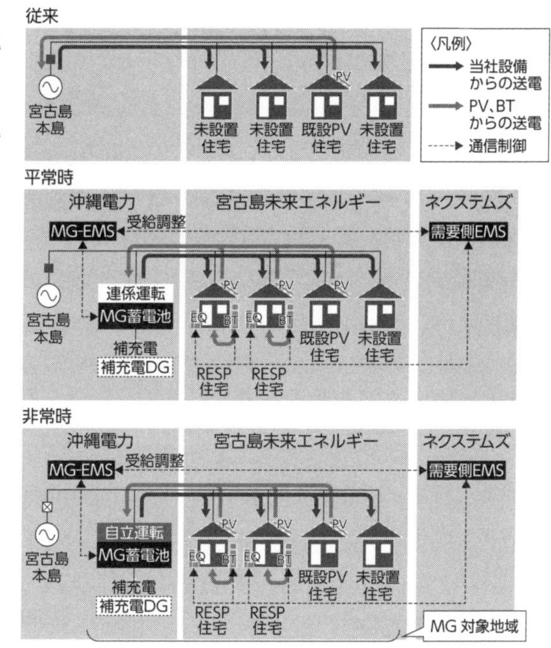

図3－11　来間島地域マイクログリッド構築事業のイメージ
出所：沖縄電力（2020年9月15日）

災害等による大規模停電などの非常時において、

条件が整えば、宮古島系統からマイクログリッドを切り離して需要家側EMSで需要家側蓄電池を、MG-EMSでMG蓄電池を制御し、自立的にMGに電気を供給します。

(3) 自立分散型再生可能エネルギー

マイクログリッドの進展は、再生可能エネルギーによる「自立分散型エネルギー社会」への可能性を高めるものと期待されています。

日本学術会議が公表した記録「分散型再生可能エネルギーのガバナンス」(2017年８月）では、研究者らによる議論の要約として７項目を紹介しています（表３－10)。

「記録」は、「⑤再生可能エネルギー開発には、その地域、その時間の自然現象に左右され、一般論は無く、そのガバナンスは地域に密着したものとなる。」と指摘しています。地域の主体的な力量が問われていることが再確認さ

表３－10　記録「分散型再生可能エネルギーのガバナンス」要約（9頁「まとめ」より）

①再生可能エネルギーの潜在的なポテンシャルは非常に大きいが、実際には自然現象に左右され、開発可能量はそれほど大きくはない。このことを認識して開発を行う必要がある。
②FITは一種の補助金制度で、コスト上昇分を電気利用者が負担する制度となっている。FITに頼らないことが持続的な再生可能エネルギー開発に結び付く。一方、FITが契機となって再生可能エネルギーは拡大したという肯定的側面もあることを考慮すべきである。
③2017年２月24日に開催した公開シンポジウムの参加者から、再生可能エネルギーの開発は、地方が中心で、多様なステークホルダーが存在することが分かった。
④東近江や山梨県は、政府主導のFITに頼らず、地元の産業活性化を目的としたバイオマス資源、太陽光発電、小水力発電などの再生可能エネルギーを開発し、持続的な経営を行っている。
⑤再生可能エネルギー開発には、その地域、その時間の自然現象に左右され、一般論は無く、そのガバナンスは地域に密着したものとなる。
⑥再生可能エネルギーは電気としてだけでなく、熱として利用が可能である熱利用の方が効率が良い場合が多く、その視点を加えるべきである。
⑦実践で得られた経験を交換する場となるフォーラムが、今後の再生エネルギー利用拡大に貢献する。

出所：日本学術会議総合工学委員会「分散型再生可能エネルギーのガバナンス」(2017年８月)

れます。

なお、「記録」には、再生可能エネルギーの開発に伴う環境問題についての言及はありませんでした。分散型エネルギーの開発は、中央集約型の開発に比べて環境負荷が少なく、地域社会との調和も図られやすいことは間違いありません。しかし、全体としてはそうであっても、個別具体には環境や地域社会との調整を図るアセスメントは欠かせません。むしろ、地域密着型であるからこそ、本書でいう第1原則と第2原則の連動が必要になるのです。

コラム⑫　添(そえ)かせぎ

民俗学者の柳田國男は以下のように論じています（ちくま文庫『柳田國男全集』29「都市と農村」369頁）。

「我々の祖先があの淋しい土地に入って住む気になったのは、（中略）ただいろいろの添かせぎの、豊かなることが頼みであった。」「しかるに猟でも峠の運搬でも、すべて遠くの人に取って替られ、なおいちばん大切なる林野には都市の資本が入った。国が率先して新式にこれを経営し、（中略）これでは農村のごとき永遠性あるものが、山の間に存続する余地はないわけである。」「それはただ資本家と呼ばるる者の企てで、都市に住する大多数の者の、少しも知ったことではない」

ここでいう「添かせぎ」とは、マルクス『資本論』でいうところの農村副業のことです。

「以前の自営農民の収奪と彼らの生産手段からの分離とならんで、農村副業の破壊が、工場手工業と農業との分離過程が、進行する。そして、農村家内工業の破壊のみが、一国の国内市場に、資本主義的生産様式の必要とする広さと強固な存立とを与えるのである。」（『資本論（第三篇）』岩波文庫392頁）

レーニンは、第一次世界大戦前夜のヨーロッパの社会的な関心であった「地方分権化」について『帝国主義』（岩波文庫56頁）で以下のように指摘しました。

「かの「地方分権化」ということは、実は、以前は比較的「独立的」であった経済単位、あるいはもっと正確にいえば、地方的に孤立していた経済単位のますます多数のものが、単一の中心に従属化する、ということである。つまりそれは、実は集中であり、独占的巨人の役割、意義、力の強化である。」

先人らの指摘を読み返すと、地域固有の資源である再生可能エネルギーが、地域の「添かせぎ」とはならずに、中央に吸い上げられていく仕組みが、いっそう中央集権を進めているように思えてきます。

第13章　国際連帯

第3原則「国際連帯」は、再生可能エネルギーによる自立分散型の地域づくりを、地球上の他の地域の人々に犠牲を転嫁することなく、それぞれの地域が抱える課題を共有し、協力しあいながら進めていくことで、SDGs（持続可能な開発目標）に貢献することです。

1．再生可能エネルギーと国際連帯

(1) 国際連帯

東日本大震災（2011年）に際して世界中から日本に支援が寄せられました。また、国際機関や開発途上国からの告発により、地球規模での環境や食糧の問題、貧困・差別、戦争・紛争などにおける「先進国」という暴力的な存在に気づかされ、その一員としての私たちは生活や仕事のあり方について自問自答を重ねてきました。

そうした中で、近年の国際協力は開発途上国への貢献という型から、市民やNGO、自治体、企業、研究者など様々な立場の人びとが連携し、それぞれの社会的責任を果たしつつ連帯するという動きに変りつつあります。

国際連帯の理念は、アジア・アフリカ連帯会議（1955年）でのバンドン宣言に示された10原則に起源があります（表3－11）。これらは今もなお切実なものであることに気づかされます。

(2) 再生可能エネルギー開発における国際連帯の原則的立場

バンドン10原則を踏まえると、再生可能エネルギーの開発に際しては、以下の7つの原則を再確認する必要があります。

表3－11　世界平和と協力の推進に関する宣言（バンドン宣言、1955年）

①基本的人権と国連憲章の趣旨と原則を尊重
②全ての国の主権と領土保全を尊重
③全ての人類の平等と大小全ての国の平等を承認する
④他国の内政に干渉しない
⑤国連憲章による単独または集団的な自国防衛権を尊重
⑥集団的防衛を大国の特定の利益のために利用しない。また他国に圧力を加えない
⑦侵略または侵略の脅威・武力行使によって、他国の領土保全や政治的独立をおかさない
⑧国際紛争は平和的手段によって解決
⑨相互の利益と協力を促進する
⑩正義と国際義務を尊重

出所：EICネット（一般社団法人環境イノベーション情報機構）より

①国の内外を問わず基本的人権の尊重を第一に据える。

②資源に対する地域の自治を尊重する。

③地域社会における民主的な自治行為に対して干渉しない。

④暴力的な手段を用いて開発を行ってはならない。

⑤開発に伴う紛争を、利害関係者との対話により、未然に防ぐ。

⑥お互いの不足を補完し合い、相互の利益の増進を図る。

⑦それぞれの地域のルールと正義、国際義務を尊重する。

2. 途上国のエネルギー問題

(1) エネルギーアクセスの不平等

①貧困の悪循環

SDGsの目標7は「すべての人々の、安価かつ信頼できる持続可能な近代的エネルギーへのアクセスを確保する」ことを掲げています。

地球上では約11億人（世界人口の約15%）が未電化状態で生活しています（IEA：World Energy Outlook 2016）。そのほとんどがアフリカと南アジアで、特にアフリカは他の地域に比べて電化が進んでいません。また、都市部と農

表3－12　途上国のエネルギー・アクセスの状況

地　域	電　化　率			未電化人口（百万人）
	都市部	全国平均	農村部	
サブ・サハラアフリカ	63%	35%	19%	632
開発途上アジア	96%	86%	79%	512
中南米	98%	95%	85%	22
中　東	98%	92%	78%	18
全開発途上国	92%	79%	67%	1,184
全世界	95%	84%	71%	1,186

出所：JICA資源・エネルギーグループ資料（2020年10月）より筆者作成

村部の格差も大きく、途上国の農村部における貧困が伺えます（表3－12）。

電気がないことで、水道が整備されずに女性や子どもたちは水汲みの重労働を強いられたり、医療機関ではワクチンの保管ができず流行病を抑えられなかったり、学校に通う子どもは夜になると宿題や読書ができなかったり、志ある人も競争力のある事業を営んだりすることもできません。また、28億人が調理や暖房用に薪や木炭、糞、石炭を用いており、それによる屋内の空気汚染によって、400万人以上が早死していると報告されています（国連広報センター 170822 Why it Matters Goal 7 Clean Energy (EJ)）。

地球上のすべての人に「健康で文化的な最低限度の生活を営む権利」（日本国憲法25条）が同等にあるとすれば、途上国のすべての人びとも、日本人と同じように、一家に複数台の自動車やエアコンや冷蔵庫、テレビ、パソコンを持ち、食べるために作られた食料の約3分の1を廃棄して美味しいものを取捨選択するような生活を営む権利があります。しかし、全人類がそのような生活をしたら、地球上の資源や環境は破たんしてしまうことでしょう。

②小島嶼（しょうとうしょ）開発途上国

小島嶼開発途上国とは、太平洋・西インド諸島・インド洋などにある、領土が狭く、低地の島国のことで、SIDS（Small Island Developing States）と表記されることがあります。52カ国・地域があり、うち40カ国が国連に加盟しています（2014年現在）。

これら小島嶼国は、多様な固有種と生物多様性、先住民族の知識の宝庫であり、地球の生態系の「中核」を成していると言われています。しかし、SIDSの温室効果ガス排出量は地球全体の1%未満であるにもかかわらず、海岸浸食、サンゴの白化、生態系の破壊、農作物や漁業への悪影響、大規模な自然災害といった気候変動の影響を極めて受けやすい地域となっています。

気候変動に関する政府間パネル（IPCC）のシナリオは、地球の平均気温がおよそ摂氏4度上昇すると、海面は2100年までに1メートル上昇し、これによって海抜5メートル以下の地域に住むSIDSの人々の約30%が影響を受けると指摘しています。

そのようなSIDSは、エネルギーアクセスも劣悪な状況におかれています。SIDS 20カ国によるバルバドス宣言（2015年5月）は「小島嶼開発途上国の多くは交通や電力のエネルギー源を輸入石油や化石燃料に大きく依存しており、これが小島嶼開発途上国の大きな経済不安要因になっている」「不安定な油価格に晒されている」と訴えています。SIDS諸国では、石油輸入と債務返済のコストがGDP（国内総生産）の70%を占めています。一般的な家庭の世帯収入の20%をエネルギーに費やしています。そのため、SIDSは原油価格の変動を受けやすい状態にあるのです。

バルバトス宣言などの訴えを受けて、国際機関や日本を含む先進国の政府や企業からは再生可能エネルギー開発のための支援が進められています。しかし、日照には恵まれているものの、土地の狭い島では太陽光発電に十分な面積を確保することができません。そのため、水資源に乏しい島では水力発電も難しく、再生可能エネルギーの導入が思うように進んでいない状況もあります（表3－13）。

参考：国連環境計画（UNEP）第一機関誌『Our Planet（私たちの地球）』
日本語版2014 Vol.4（通巻37号）

③スラム

【チリ】 私（筆者）は、1990年、スラム（ポブラシオン）にホームステイしました。そのお宅の奥さんは、軍政下で任命された役員を排除して自主投票により再建された民主的な住民自治組織（フンタス・デ・べシーノス）の代表者を務めていました。

表3－13　小島嶼開発途上国での再生可能エネルギー導入状況

地　域	最大電力 MW	再エネ導入割合	
		水力含む	水力除き
クック諸島	4.5	16%	16%
ツバル	1.4	28%	28%
ソロモン諸島	14.4	1%	1%
トンガ	8.5	13%	13%
サモア	21.5	33%	9%
バツアヌ	11.7	20%	11%
キリバス（南タラワ）	4.1	12%	12%
ナウル	4.8	3%	3%
フィジー	155.5	46%	1%
ボンベイ（FSM）	6.3	7%	5%
マーシャル諸島	8.6	4%	4%

出所：JICA資源・エネルギーグループ資料（2018年2月）より筆者作成

ある日、住民自治組織の役員をしている25歳のホルヘという左派政党に属する青年の家が全焼し、彼も亡くなるという痛ましいことがあり、私も他の役員とともに花輪を造りました。毎夜のように右派と左派が激しく口論する役員たちでしたが、このときは彼のために皆大声をあげて泣きました。

火事の原因は電気のショートでした。スラムでは盗電が日常的に行われていました。当然のことながら、安全性に問題があり、スラムでの火災の主要要因となっていました。

今、民主化されたチリは「中南米の優等生」と言われ、経済は比較的に安定しています。しかし、そのことにより周辺の貧困国からの移民が急増し、2011年から2018年の間にスラム人口は倍増し、822カ所のスラムのうち78％で水や電気などの社会的サービスが受けられない状態であると報じられています（ロイター、2018年）。

【ブラジル】　全人口の25％がスラム（ファベーロ）に住むブラジルでも、生産される全エネルギーの25％が盗電により消費されています。「ショートが原因で火災が発生し、近所に住む人たちが全財産を失うという出来事が過去にも多数あった」という住民組織代表の声も報告されています（e Journal “Energy Efficiency: The First Fuel” 米国国務省サイトより）。

【ミャンマー】　最大都市ヤンゴンにあるダラ地区は世界最大のスラムと言われています。ここではほとんどの世帯に電気が来ていないので、蓄電池が業者によって配達されています。ミャンマーの国勢調査（2014年）によると無電化世帯は67.6%でした。2011年の民主化以降は経済成長を続け、2020年には全国の電化率が58%となり、2030年までに100%をめざす長期計画が順調に進んでいると政府は発表しました（アジア経済ニュース2021年1月26日付）。こうした中、たとえば携帯電話の普及率は2010年の1%から2017年には95%へと急伸長しました（ミャンマー消費者調査2017）。

しかし、現在も電源は蓄電池に頼る人が多く、都市部でもエレベーターが使えなくなることは日常茶飯事だといわれています。また、経済成長の陰で、都市と地方の格差の拡大が進み、農村部での貧困はさらに深刻です。国土南西部のラカイン州の貧困率は78%（国連開発計画、2014年）で、同州に約100人が暮らすロヒンギャ族に対する差別問題も原因となっています。

こうした不安定さが民主化から10年の今年（2021年2月1日）におきた軍クーデターの背景となっています。民主化以降、多くの日本企業が再生可能エネルギー開発を通じてミャンマーの電化政策に貢献しました。電気のある生活が民主主義を取り戻す力となることを願ってやみません。

④アフリカ農村部

アフリカの農村部における電化の遅れは、他の地域と比べ顕著です。そうした中、日本のJICA（独立行政法人国際協力機構）や大手商社がソーラー・ホーム・システム（SHS）の普及に力を入れています。しかし、一部富裕層はその費用を負担できても、一般消費者には手が届かないため、「アフリカでSHSが農村部で自立的に普及しはじめているといった例は皆無と言ってよい」状態で、その原因には、価格面の他に太陽光発電システムに関する知識の不十分さなどが挙げられています（JICA「アフリカ未電化地域での再生可能エネルギーの活用と普及に係るプロジェクト研究報告書」2008年）。

(2) 再生可能エネルギーが生み出す貧困と不健康

第9章でふれたように、日本国内で消費するバイオマスエネルギーのために、国外で森林伐採や油脂植物などのプランテーション農業（単一作物の大規模栽培）により生態系などの環境破壊が行われるとともに、自分たちが利用するのではないエネルギーに特化したモノカルチャーが現地の貧困や飢餓

表3－14　バイオ燃料原料生産国の農村・農民の状況（抜粋）

【ブラジル】さとうきびと大豆
＊外国から流入する大量の資金を使った大土地所有者による土地所有が加速。
＊借金奴隷の労働者がエタノール生産用のさとうきび収穫に1日14時間労働を強いられていた。
＊労働者の大多数は適切な住居を持たず，栄養不良，暑熱ストレス，化学農薬・ほこり・すすにさらされている。
＊大豆生産に使用が増えている多国籍企業の混合薬剤は深刻な公衆衛生問題を引き起こしている。
＊大豆生産の猛烈な拡大は先住民族の居住地域に達して、先住民族や野生生物の脅威となっている。
【マレーシア】パームオイル
＊プランテーション面積は1990年から2002年にほぼ倍増。森林破壊の87％の原因となっている。
＊家族全員の労働でマレーシアの最低賃金程度の収入にしかならない。
＊国勢調査では10歳以上14歳未満の2万2000人がプランテーションで働いていることが明らかになったが、10歳未満に関してはデータがなく、女子には教育の機会が与えられていない。
＊パームの実を収穫する刃物や農薬の暴露により健康被害が多い。ベトナム戦争で使われた枯れ葉剤の成分や先進国では使用が禁止されているパラコートなどの除草剤が使用されている。
＊弁護士の調査では，無作為調査50人の女性労働者のうち健康だったのはわずか2人であった。被害として鼻血，眼・皮膚・爪の障害，皮膚の潰瘍，胃潰瘍などを負っている。
＊プランテーションに近接する村では，魚の数が減り，飲み水や水浴の水が汚染され、不妊や奇形児などの問題が増えていることを住民が訴えている。
＊ときには，軍隊や警察によって先住民が企業に土地を渡すよう強制されることもある。

出所：吉野稔「バイオ燃料の利用拡大とその発展途上国に及ぼす影響について」（『日本福祉大学経済論集』第39号、2009年9月、144-146頁）より筆者が任意に抽出して作成

を加速させています。

ブラジルやマレーシアの事例（表3－14）によれば、前近代的な大土地所有と結びついた子どもを含む奴隷的な就労といった人権蹂躙とあいまって、環境や健康の破壊が進行している実態が伺えます。

今、2050年カーボンニュートラルに向けて、石油代替としてバイオエタノールやバイオディーゼルを使うために、日本国外から大量に原料が輸入されています。しかし、生産の現場がこのような人権蹂躙の労働によって担われ

ているのであれば、本末転倒です。

また、マイクロプラスチック問題を機にプラスチックの生産や消費のあり方が大きく問われる中、環境省「バイオプラスチック導入目標集」(2021年1月)によれば、大手飲料メーカー各社は、2030年までにペットボトルを全てバイオプラスチックに替える目標を掲げています。しかし、国内でそれだけの原料は調達できません。主力原料のトウモロコシやさとうきびなどが開発途上国からさらに大量に輸入されるようになると見込まれます。

3. 国際連帯がめざすもの

(1) SDGsと再生可能エネルギー

地球上では、最も豊かな8人が貧しい36億人に匹敵する資産を所有し、10人に一人が一日2ドル以下で生活しています(オックスファム「99%のための経済」2017年)。

こうした中、日本をはじめ先進各国では、脱炭素社会に向けて再生可能エネルギー普及目標を競うように資金を拠出し、企業もこれに呼応して世界中にビジネスを展開しています。SDGsの第7目標(前出)と第13目標「気候変動に具体的な対策を」に向けて大きく動いているかのように見えます。

しかし、再生可能エネルギーの推進が、結果的に他の地域の人びとに犠牲を転嫁させ、貧困を拡大し、環境破壊や健康破壊につながるのであれば、「持続可能な社会」の姿であるとは言えません。

再生可能エネルギーは、SDGsの第1目標「貧困をなくそう」を最上位として、国や地域、人種や民族の違いなどで不平等が生じないように(第10目標「人や国の不平等をなくそう」)、国や企業、消費者がそれぞれに公正なルールを守り(第16目標「平和と公正をすべての人に」)、連携していく必要があります(第17目標「パートナーシップで目標を達成しよう」)。

そして、再生可能エネルギーの開発に際しては、開発地の住民や開発に従事する労働者の健康や福祉に配慮し(第3目標「すべての人に健康と福祉を」)、洋上風力や海流発電などでは「海の豊かさ」（第14目標）を、太陽光や陸上風力、水力などでは「陸の豊かさ」（第15目標）を守ることが求められます。

また、地域の実情にあったエネルギーに関する教育が伴うことで（第4目標「質の高い教育をみんなに」）、「産業と技術革新の基盤」をつくること（第9目標）につながり、ひいては「働きがいも経済成長も」（第8目標）へと波及することが期待されます。

(2) 私たちにできること

SDGsの各目標を念頭に、私たち市民・消費者にはどんな役割が求められるのでしょうか。前出「再生可能エネルギー開発における国際連帯の原則的立場」で示した7つの原則を土台として、いくつか提案していきます。

①省エネルギーに努めよう

現状の私たちの生活を維持するために再生可能エネルギーを利用することは開発途上国の資源に依存することにつながります。私たち一人ひとりが、こまめに電源を完全に切ること、自転車や徒歩及び公共交通手段の利用などに心がけましょう。

②公正な貿易を応援しよう

買い物をするときに、値段だけではなく、以下のことも配慮しましょう。直接は再生可能エネルギーに関係しなくても、私たちの消費行動が変われば、再生可能エネルギーに関する貿易についても企業は配慮しなければならなくなります。

イ）フェアトレード商品の選択

Fair Trade（公正な取引）は、労働搾取や児童労働などの問題の解決をめざして、開発途上国の生産者によって作られた製品が適正な価格で継続的に取引され購入することで、生産者の生活を支援しようとする取組みです。世界的に取組まれています（図3－12）。

図3－12　国際フェアトレード認証マーク
出所：フェアトレードジャパンのホームページより

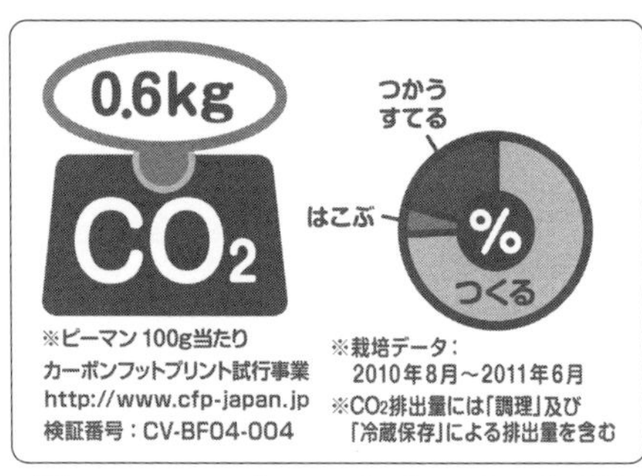

図3－13　カーボンフットプリントの表示例
出所：みやざきブランド推進本部ホームページより

ロ）カーボンフットプリント

Carbon Footprint of Products（CFP）は、商品やサービスの原材料調達から廃棄・リサイクルに至るまでのライフサイクル全体を通して排出される温室効果ガスの排出量をCO_2に換算して、商品やサービスに表示する取組みです。LCA（ライフサイクルアセスメント）手法により環境負荷を定量的に算定して、「見える化」するものです（図3－13）。

ハ）フード・マイレージ

Food Mileage（食料の輸送距離）は、食料の生産地から消費者の食卓に並ぶまでの輸送にかかった「重さ×距離」で表されるものです。その数値が高いほど、輸送にかかる燃料や二酸化炭素の排出量が多くなるため、食料の消費が環境に対して与える負荷が大きいということになります。日本は食糧自給率が低く、フード・マイレージがきわめて高い国となっています（図3－14）。農産物の地産地消を進める指標にもなります。

こうした消費行動は、エシカル消費（倫理的消費：人や社会、環境に配慮

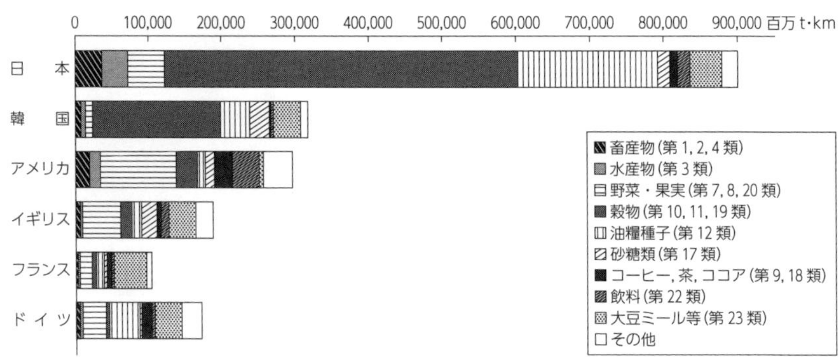

図3－14　輸入食料に係るフード・マイレージの比較（品目別）
出所：フードマイレージ資料室ホームページより

した消費行動）とも言います。

③国連機関やNGOの取組みに協力しよう

再生可能エネルギーは、地域の資源や周囲の環境、使う人たちの生活状況、利用する事業形態などによって、適切なものが選択されるべきものです。途上国支援の場合は、現地の情報が得にくいだけに、ミスマッチが生じないように特段の配慮が必要です。

私は、再生可能エネルギー普及に対する直接的な支援よりも、途上国で支援活動をする人たちが再生可能エネルギーの利用を可能にするような活動基盤づくりが最優先ではないかと考えます。エネルギーはあくまでも「手段」であるからです。

ユニセフ（国連児童基金）やWFP（国連食糧計画）などの国連機関は信頼度が高い寄付先で、世界に広く活動を展開しています。

国内では、地球環境基金（独立行政法人環境再生保全機構）を通じて、現地で環境保全活動を実施する国内外のNGOに支援することもできます（図3－15）。地球環境基金の助成先には、国内外での環境破壊から生態系や人びとの暮らしを守る活動や再生可能エネルギーを市民の手で開拓する活動、再生可能エネルギーの適正な普及のために政策提言する活動などが幅広く含まれています。

さらに、JICA（独立行政法人国際協力機構）の青年やシニアによる海外協力隊員として活動することは、より直接的かつ自分の個性を活かすことのできる活動です。JICAでは現地住民とともに小規模社会開発を進める事業を展開しており、そこでも再生可能エネルギーは重要な手段となっています。

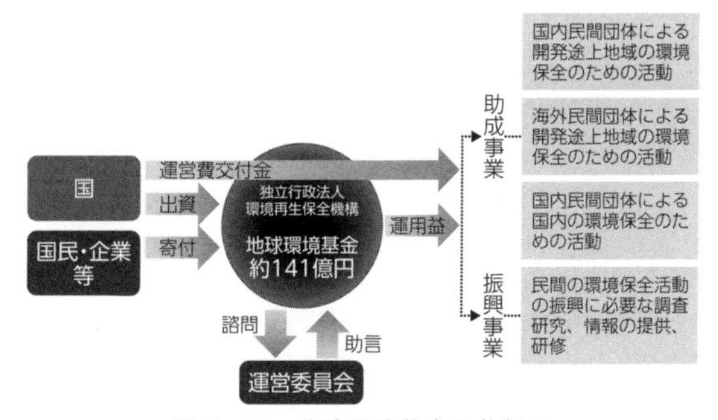

図3－15　地球環境基金の仕組み

出所：独立行政法人環境再生保全機構ホームページより

④再生可能エネルギーで自立する地域づくりに参加しよう

あなたの身のまわりで再生可能エネルギーを利用した地域づくりに取組んでいる団体やグループがあれば、話を聞いたり、寄付や出資をしたり、活動に参加したりしてみましょう。

第12章で紹介した地域新電力が身近にあれば、これを利用して、電気の地産地消に貢献することも可能です。このような事業を通じて得られた収益の一部を途上国支援に寄付する仕組みも提案していきましょう。

また、地域の仲間と相談して、地元の市町村に再生可能エネルギーによる自立分散型地域づくりを促す声を届けましょう。

コラム⑬　ベトナム式水力発電機

NPO地域づくり工房「くるくるエコプロジェクト」（ミニ水力発電の普及活動）が最初に立ち上げた3カ所の一つである駒沢ミニ水力発電所では、プロジェクト実行委員長の駒沢一明さんの田畑の脇を流れる水路に、ベトナムから輸入した発電機（出力1kW）を設置しています（2003年10月より）。

この水車は、水が上から下へと吸い込まれる力を利用して水車を回し、その回転を縦軸で上にある発電機に伝えるものです。発電機は、PM同期型と言って、回転する中心軸に永久磁石を配置し、その周囲に固定されたコイルから電力を取り出す仕組みです。発電機にコンセントを差し込むとそのまま電気が得られます。電線が奥地まで来ていない東南アジアの各地で利用されています。私たちの活動を視察されたカンボジアの政府関係者が「日本に来てこれを見せられるとは思わなかった」と大笑いしました。

当時は輸入手数料を含めて16万円と破格の安さで、製造元からは「日本への輸出第一号」だと言われました。その後、駒沢ミニ水力発電所の見学を機に全国各地で利用されています。一方、日本国内でも1kW未満の小さな水力発電システムが開発されましたが、どれも普及しなかったようです。簡素であることの大切さをこのベトナム式発電機は教えてくれています。

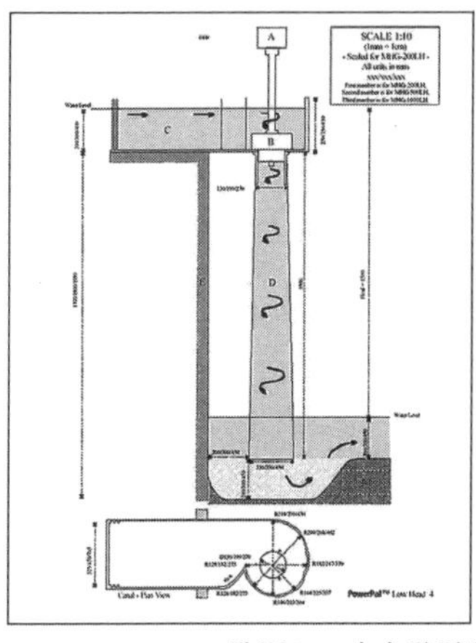

駒沢ミニ水力発電所（説明者は筆者）

第14章　仕事おこしワークショップ

この本のまとめとして、ここまでの内容をふりかえりながら、再生可能エネルギーの利用を通じて、市民による地域での仕事おこしの活動を提案します。

1. 再生可能エネルギー推進の政策

第2章で紹介したように、再生可能エネルギーをめぐる技術は日進月歩の中にあります。今後も、社会的要請を背景に、利用できる技術の種類や形態も多様化していくことでしょう。

科学技術は直線的に進歩していきますが、人間社会はらせん状に行きつ戻りつ試行錯誤を重ねていきます。再生可能エネルギーの技術が社会に実装されていく道は、これまでと同様に、紆余曲折が予想されます。

試行錯誤のリスクを軽減し、社会への実装化を支援する仕組みとして、補助金や助成金などの経済的支援制度があります。しかし、それがないと定着しないのであれば、開発者にはメリットはあっても、地域振興にはつながりません。

学術会議の記録「分散型再生可能エネルギー」（既出）は、FITなどについて、「中央から地方へ資本が流れ、中央の資本家が儲けるというビジネスモデルで、地方が儲けるビジネスモデルとはなっていない。エネルギー生産を地方の産業として自立するためには、エネルギー生産過程の中で付加価値を付ける、価格競争に勝てるビジネスモデルを作ることが必要となっている。」と指摘して、具体的には以下のような検討課題を示しています。

こうした専門家による議論を参考にして、国レベルでは地域の経済的な自立を促す方向での再生可能エネルギー開発の枠組みづくりを進めることと、

表3－15　記録「分散型再生可能エネルギーのガバナンス」（3.課題の整理）より抜書

<table>
<tr><td>C-10）</td><td>FITは一種の補助金であり、再生可能エネルギーはFIT無しで自立する必要がある。そのためには、以下のような再生可能エネルギーを産業振興の一つとして持続的に拡大させる政策やビジネスモデルの議論が必要である。
・初期投資は補助金で、ランニングは自律するモデル。
・付加価値を付けることによりコスト高を克服するモデル。
・地中熱利用は、現状ではまだ経済性が弱いので、クロスポイント（化石燃料価格との競合点）を克服できる需要側の特性（商業施設・宿泊施設・病院など比較的大規模施設）を利用したビジネスモデル。
・再生可能エネルギーの効果を最大限上げるための社会システム。</td></tr>
<tr><td>C-12）</td><td>金融環境が整い、開発事業者や投資家が早期に資金回収できれば、新たな再生可能エネルギー案件開発への投資が可能となり、利用拡大に繋がる。そのためには、データ整備・燃料調達・技術開発等に関する支援策や電力システム全体を俯瞰した制度設計、証券化・ファンド化など金融スキームの開発や市場の整備により多様な投資家の参加が可能な制度が重要となる。</td></tr>
</table>

出所：日本学術会議総合工学委員会記録「分散型再生可能エネルギーのガバナンス」（2017年8月）

自治体レベルでは後述する市民の自律的な地域での仕事おこしの活動を育てる「苗床」となるような環境整備に力を注いでもらいたいと思います。

苗床またはインキュベーター（ふ卵器）の役割には、たんに経営相談や情報提供、セミナーの開催などのように従来から商工会議所・商工会や中小企業技術センターなどで担っているものとは別に、これらを利用しつつ、積極的に地域に仕掛けていく役割が求められます。再生可能エネルギーを活用した市民からの仕事おこしの活動を促し、コーディネートし、立ち上げまでを支援するこの分野での外部助言者（メンター：mentor）を育てる事業が都道府県単位で行われてもいいのではないかと思います。

2. 持続可能な社会のエネルギー

新しい技術を社会に実装化する際には必ず負の影響も伴います。再生可能エネルギーも例外ではありません。

本書では、国内外で様々な問題が起きていることを踏まえて、再生可能エネルギーの導入に際しての環境や地域社会、そして途上国などに与える影響について事前配慮の徹底をよびかけています。

国においても、改正FIT法や環境影響評価法の改正など、一時期の「アクセルのみ」の状態からの見直しが図られました。しかし、ここへきて、政府による2050年カーボンニュートラルの国際公約を踏まえて、その実現のカギを握る再生可能エネルギーの開発圧力がにわかに高まっています。環境影響評価制度の見直しも「スピード感」を追求されながら進められています。

気候変動対策が人類にとって喫緊の課題であることは間違いありません。しかし、再生可能エネルギーの開発を大規模かつ短期間に進めることは、持続可能な開発としては不適切です。そもそも、持続可能な社会に「スピード感」は必要なのでしょうか。

私は、持続可能な社会に必要なのは、今の世代ですべて判断し、資源を使い切るのではなく、将来世代に選択と資源の余地を残すことだと考えます。為政者や事業家には時間と経費の無駄に見えるかもしれませんが、歴史と地域社会の現状に学びつつ、将来世代に配慮しながら、軌道修正や環境再生の可能な余地を残しながら、開発を進めていくことが「持続可能な開発」の姿ではないでしょうか。

地元企業や市民出資などで行われる再生可能エネルギーの事業がすべて環境にやさしいというわけではありません。

再生可能エネルギーの開発圧力がいっそう高まる今こそ、持続可能な社会にふさわしい再生可能エネルギーの開発のあり方について幅広い議論が必要だと考えます。

3. 仕事おこしワークショップ

第3部では、「地域の力」を育てていく観点から、再生可能エネルギー開発の3原則（①アセスメント、②地域内再投資力、③国際連帯）を提起しました。

本書がめざす持続可能な社会に向けた再生可能エネルギーの事業は、市民を主体として、地域固有の資源を活用し、環境や地域社会に配慮しながら進められることで、地域に仕事をおこし、お金の循環が生まれ、地域の自立につながり、あわせて途上国の自立的な発展とも連帯していくことです。

そのような市民事業を、具体的に検討し、市民実験として立ち上げることを想定したワークショップを、仲間とともに開催してみませんか。政策論から入るのではなく、地域を特定し、具体的な活動内容を検討する中から、それを実践する上での課題を整理して、政治や行政に働きかける方がずっと説得力があります。

仕事おこしワークショップの基本的な流れは以下の通りです。その基本理念は、市民による「環境・福祉・学びあいの仕事おこし」を通じて、「地域に小金がまわる仕組み」をつくることで、行政に依存しない自律的な事業をめざすものです。

【第1回】　ニッチをさがせ（見捨てられているものこそ資源）
【第2回】　アイディアを形にする（志に根ざした計画）
【第3回】　循環図をつくろう（関係者とお金の流れを把握する）
【第4回】　参加型調査の企画と相互批判（非営利事業らしいマーケティング）
【第5回】　現場に出かけて、資源を確認しよう（歩くミニシンポジウム）
【第6回】　「強み」と「弱み」を生かして大きな木に育てよう
【第7回】　市民実験を立ち上げよう（市民実験の企画書づくり）

ワークショップの開催方法は、小著『仕事おこしワークショップ』（自治体研究社、2012年）をご参照いただければ幸いです。

この本では、2002年10月から半年間の仕事おこしワークショップを通じて生まれた以下の3つのプロジェクトの立ち上げから10年間の試行錯誤を紹介しています。

・くるくるエコプロジェクト（ミニ水力発電の普及活動）
・菜の花エコプロジェクト（菜種オイルとバイオ軽油の普及活動）
・風穴小屋プロジェクト（天然冷蔵倉庫の復元利用の活動）

これらは結果的に再生可能エネルギーを利用した活動となりましたが、出発点は「地域で生かされていない資源」を掘り起こすことでした。けっして

第1回仕事おこしワークショップ（NPO 地域づくり工房、2002年10月）

成功例ではなく、むしろ何が問題だったのか、障害になったのか、どのように苦労し、解決しようとしたのか、なるべく具体的に紹介することで、「市民からの仕事おこし」のリアリティを記しておこうと思いました。

さらに10年近くを経て、こうした試行錯誤はけっして無駄ではなく、組織や関わった人びとの「力」になっていることは確かではないかと思います。

あなたも「仕事おこしワークショップ」をやってみませんか。

コラム⑭　100年前の赤穂騒擾事件

最後に、太野祺郎『百年の燈火～信州伊那谷より南三陸へ～』(2013年、展望社) を紹介します。これは1913 (大正2) 年8月、長野県上伊那郡赤穂村 (現駒ケ根市) で発生した赤穂騒擾事件を題材に、関連する歴史資料をていねいに紹介しつつ、フィクションとしての事件関係者の孫たちによるロマンスと葛藤を織り交ぜながら、地域社会にとってのエネルギーとは何かを問いかけています。

1911 (明治44) 年、赤穂村で村営電気事業の構想が持ち上がりました。地元で水力発電を起こし、村内の全戸に電燈を灯すとともに、電気代収入を村財政に繰入れて活用する計画でした。しかし、長野電燈会社 (長野市) は、伊那谷を供給区域に繰入れようとしていたため、政権与党の立憲政友会とのパイプを利用して妨害し、赤穂村の出願は却下され、長野電燈会社に電燈事業の許可が下りました。これに対して、村民は「長野電燈不点火」を決議し、あくまでも村営事業の実現をめざしました。しかし、一部の者がこれを裏切って長野電燈会社の電気を引いたことから、事件は発生しました。暴徒化した民衆が、その住宅を損壊し、主導者の家に放火し、出動して抜剣して威圧する警官を警察署まで押し戻して、警察署のガラス戸も投石を受けたのです。多数の村人が有罪となりました。

100年前の赤穂村の人々の訴えは、まさに「地域の力」を感じさせるものです。それらは資本の力により押しつぶされましたが、その後の電力国営化、独占企業化、原発災害、電力自由化、再生可能エネルギーといったスパイラルを経て、住民自治の重要さを力強く訴えています。

『百年の燈火～信州伊那谷より南三陸へ～』

あとがき

本書は、自治体問題研究所月刊誌『住民と自治』（2020年4月号～9月号）の連載「再生可能エネルギーと環境問題」（全6回）に補筆して第2部とし、再生可能エネルギーをめぐる概論（第1部）と今後のあり方（第3部）とを加えました。

稚拙な内容ですが、郷里での再生可能エネルギーを利用した市民からの仕事おこし活動と、再生可能エネルギー開発をめぐる自主簡易アセスの取組みとを土台に、なるべく具体的でわかりやすく書くことを心がけました。

あえて出版を思い立ったのは、菅政権による国際公約「2050年二酸化炭素排出実質ゼロ」とそれに向けて再生可能エネルギーを一気に拡大する方向での政策が動き出したことからです。

再生可能エネルギーの普及は善いことです。そのことにブレーキをかけるような主張は、本文中でも紹介したように、温暖化防止や原発反対を唱える人たちには違和感があるようです。一方で、自然を破壊して建設される太陽光発電所や風力発電所を目の当たりにしている人たちには、アセスメントという切り口は中途半端で、開発側を利することだと厳しい声を何度もいただきました。そのため、この問題を語ったり、書いたりするときは、いつも言葉を選ぶのに苦労してきました。

そうした中で、自分の考えを一冊にまとめるとともに、再生可能エネルギーの普及のあり方に関する議論に一石を投じることができればと考えました。

本書をまとめるにあたり、自治体研究社の方々に大変お世話になりました。また、NPO地域づくり工房の仲間には、実践を通じて意見交換を重ね、このような考え方に基づく非営利事業の運営に苦労をともにするとともに、本書の執筆に際しても助言や資料収集や図表の作成など援助してもらいました。ここにあらためてお礼申し上げます。

2021年5月9日　　　　　　　　　　　　　　　傘木宏夫

参考資料、書籍、WEBサイト

＜第1部＞

「データで見る温室効果ガス排出量」（全国地球温暖化防止活動推進センターホームページ）

「原子力・エネルギー図面集」（一般財団法人日本原子力文化財団ホームページ）

「エネルギーの今を知る10の質問」（資源エネルギー庁ホームページ）

「地域エネルギー政策に関する提言」（自然エネルギー財団、2017年）

『水の恵みを電気に！小型水力発電実践記』（川上博、パワー社、2006年）

「発電のしくみ」（中部電力ホームページ）

『ミニ水力発電実践講座』（NPO地域づくり工房、2019年改訂版）

「地熱発電のしくみ」（日本地熱協会ホームページ）

『日本の風穴』（清水長正・澤田結基編、古今書院、2015年）

『風穴を知っていますか？』（NPO地域づくり工房、2017年）

「全国風穴小屋マップ2019年版」（NPO地域づくり工房、2019年）

「全国風穴小屋マップWEB版」（NPO地域づくり工房ホームページ）

「廃棄物系バイオマスの種類と利用用途」（環境省ホームページ）

「波力発電はバラエティに富んでいた！意外性のある変わった発電のしくみ―発電技術(2)」（Stone Washer's Journal 2016年11月15日付）

「エネルギー永続地帯」（特定非営利活動法人環境エネルギー政策研究所ホームページ）

「2050年二酸化炭素排出実質ゼロ表明自治体」（環境省ホームページ）

『環境アセス&VRクラウド』（傘木宏夫、フォーラムエイトパブリッシング、2015年）

「太陽光発電の環境配慮ガイドライン」（環境省、2020年）

「太陽光発電を適正に推進するための市町村対応マニュアル～地域と調和した再生可能エネルギー事業の促進～」（長野県、2016年）

「環境配慮で三方一両得～自主的な環境配慮の取組事例集～」（環境省、2015年）

「太陽光発電事業の評価ガイド」（一般社団法人太陽光発電協会、2019年）

「小規模風力発電事業のための環境アセスメントガイドブックVer.2」（一般社団法人日本風力発電協会、2020年）

＜第2部＞

「山間地へのメガソーラー開発における自主簡易アセスの取組みから」（傘木宏夫、環境技術学会『環境技術』49巻3号、2020年）

「太陽光発電所の自主簡易アセスと住民意見の動向」（傘木宏夫、『環境アセスメント学会誌』16巻1号、2018年）

『はげ山の研究』（千葉徳爾、農林協会、1956年）

「太陽光発電施設等に係る環境影響評価の基本的な考え方に関する検討会報告書」（環境省、2019年）

参考資料、書籍、WEBサイト

「太陽光発電設備のリサイクル等の推進に向けたガイドライン（第一版）」（環境省、2016年）
「風力発電事業の計画段階における環境紛争の発生要因」（村山武彦他、『エネルギー・資源学会論文誌』35巻2号、2014年）
「バイオマス白書」（特定非営利活動法人バイオマス産業社会ネットワークホームページ）
「菜の花プロジェクトって何？」（特定非営利活動法人菜の花プロジェクトネットワークホームページ）

＜第3部＞
「われら共有の未来」（環境と開発に関する世界委員会、1987年、環境省訳）
「オーフス条約とは」（AARHUS NETホームページ）
「環境と開発に関するリオ宣言」（国連環境開発会議、1992年、環境省訳）
「Fastips」（環境アセスメント学会ホームページ「IAIA基本文献」、浦郷昭子訳）
「環境アセスメントデータベース（EADAS）」（環境省ホームページ）
「改正地球温暖化対策推進法について」（2021年6月、環境省地球環境局）
『地域づくりの経済学入門（増補改訂版）～地域内再投資力論』（岡田知弘、自治体研究社、2020年）
『隔月刊地球温暖化』（日報ビジネス、2020年5月号）
「Why It Matters（なぜ大切か）」（国連広報センターホームページ）
「Our Planet（私たちの地球）」（国連環境計画第一機関紙、UNEP日本語情報サイトにて2005年版より閲覧可能）
「アフリカ未電化地域での再生可能エネルギーの活用と普及に係るプロジェクト研究報告書」（JICA報告書PDF版サイト、2008年）
「バイオ燃料の利用拡大とその発展途上国に及ぼす影響について～食料供給および生活・労働環境面を中心に～」（吉野稔、日本福祉大学経済論集39号、2009年）
「バイオプラスチック導入ロードマップ」（環境省ホームページ）
「フェアトレードとは？」（フェアトレードジャパンホームページ）
「カーボンフットプリントコミュニケーションプログラムホームページ」及び「エコリーフ環境ラベルプログラムホームページ」（一般社団法人サステナブル経営推進機構）
「フード・マイレージ資料室～より豊かな未来の食のために～」（中田哲也主宰者のホームページ）
「次世代エネルギー・社会システムの構築に向けて」（経済産業省、2011年）
記録「分散型再生可能エネルギーのガバナンス」（日本学術会議工学委員会、2017年）
『地域づくりワークショップ入門～対話を楽しむ計画づくり～』（傘木宏夫、自治体研究社、2004年）
『仕事おこしワークショップ』（傘木宏夫、自治体研究社、2012年）
『百年の燈火～信州伊那谷より南三陸へ～』（太野祺郎、展望社、2013年）

傘木宏夫（かさぎ・ひろお）
1960年2月、長野県大町市生まれ
NPO地域づくり工房代表理事
他に、長野大学非常勤講師、環境アセスメント学会常務理事、自治体問題研究所理事、長野県住民と自治研究所理事、株式会社木崎湖温泉開発株式会社取締役など
主な著書
『環境アセス＆VRクラウド』（2015年、フォーラムエイトパブリッシング）
『仕事おこしワークショップ』（2012年、自治体研究社）
『つくってみよう！まちの安全・安心マップ』（2008年、自治体研究社）
『地域づくりワークショップ入門〜対話を楽しむ計画づくり〜』（2004年、自治体研究社）
（共著）『環境アセスメント学入門』（「藤前干潟（第10章）」「環境に係る情報基盤の強化、情報共有の推進（第14章4）」2019年2月、環境アセスメント学会編、恒星社厚生閣刊）
『日本の風穴』（2015年、古今書院）
『BeSeCu〜緊急時、災害時の人間行動と欧州文化相互調査〜（増補・日本版）』（2014年、フォーラムエイトパブリッシング）
『環境アセスメント学の基礎』（「環境アセスメントにおけるNPO活動の役割（第7章3）」2013年2月、環境アセスメント学会編、恒星社厚生閣刊）
『公民の協働とその政策課題』（2005年、自治体研究社）
『都市に自然をとりもどす〜市民参加ですすめる環境再生のまちづくり〜』（2000年、学芸出版社）
『大阪発・公園SOS〜私たちのコモンセンス〜』（1994年、都市文化社）他

再生可能エネルギーと環境問題
ためされる地域の力

2021年8月31日　初版第1刷発行

著　著　傘木宏夫
発行者　長平　弘
発行所　株式会社　自治体研究社
〒162-8512
東京都新宿区矢来町123　矢来ビル4F
TEL　03-3235-5941
FAX　03-3235-5933
https://www.jichiken.jp/
E-mail：info@jichiken.jp
印刷所
製本所　モリモト印刷株式会社
DTP　赤塚　修

ISBN978-4-88037-727-8 C0036